世界のエリートが学んでいる哲学・宗教の授業

佐藤 優

PHP文庫

○本表紙図柄＝ロゼッタ・ストーン（大英博物館蔵）
○本表紙デザイン＋紋章＝上田晃郷

まえがき

　私は一九七九年から八五年にかけて、京都の同志社大学神学部と同大学院神学研究科でプロテスタント神学を学んだ。専攻は組織神学（キリスト教の理論）で、神がどうして人間になったのかという受肉論が専門分野だ。受肉論に関心を持つ神学生は、古代や中世の神学者を扱うことが多いが、私の場合は現代神学をテーマにした。具体的には、チェコスロバキアの共産党政権とプロテスタント教会の関係について研究した。研究を進めるうちにどうしてもチェコに留学して、キリスト教を否定する社会主義国家において、キリスト教徒が何を考え、どう生活しているかについて知りたくなった。

　当時、日本とチェコスロバキアの間には政府間の交換留学協定があったが、神学を専攻する学生の受け入れはなかった。そこでいろいろ調べてみると、外務省の専門職員になれば、プラハのカレル大学に留学できることがわかった。チェコで勉強したいという不純な動機で私は外交官試験の準備をして、合格した。しかし、外務省から命じられたのはチェコ語ではなく、ロシア語の研修だった。チェコ語もロシア語も同系列のスラブ語で、モスクワとプラハは飛行機ならば三時間で移動できるという軽い気持ちで外交官になった。その結果、私の人生は大きく変化した。

意外なことだったが、神学部で勉強した神学の勉強は、外交官になってからとても役に立った。目には見えなくても、確実に存在し、社会や歴史を動かすものがわかるからだ。それだから、モスクワに勤務する外交官の中で、私はかなり早い時期から民族問題がソ連のアキレス腱であることに気づき、一九九〇年に入るとソ連解体は必然的であると予測することができた。また、一九九一年十二月のソ連崩壊後、歴史は終焉(しゅうえん)し、単調なアメリカ標準のグローバリゼーションの時代になるという見方が主流のときも、そのような認識が誤っていることに私は気づいた。

神学は、世の中を深く知るためにとても有益な学知であるが、日本人には疎遠だ。それだから、標準的な日本人に理解可能な言語に転換して、神学的思考について伝える必要がある。神学は、その時代で主流の哲学の言語を用いる。また、神学研究においては、キリスト教以外の宗教の内在的論理について知ることも重要だ。それだから、神学的内容を哲学と宗教の言語に言い換えて、講義を行うことを試みてみた。ちなみにアメリカやヨーロッパ、ロシア、イスラエルなどの大学では、文科系、理科系にかかわらず、哲学と宗教について学ぶ。なぜなら哲学と宗教は、人間が生きていく上で不可欠な基本原理だからだ。日本の政治、経済、マスメディアなどで活躍するエリートには哲学と宗教に関する知識と教養が欠如している。この点を改善することが日本の社会と国家を強化するために有益と思う。

このような私の考えに、友人であり、筑波大学で非常勤講師、同志社大学で嘱託講師を務める小峯隆生氏が全面的に共感してくださった。そして筑波大学で、私が、小峯氏が選抜した学生を対象に「哲学的訓練」と題する講義を数回行った。本書にはそのときの内容が盛り込まれている。本書をまとめるにあたっては、哲学や宗教の知識をまったく持たない人でも、内容を十分に理解できるように細心の配慮をし、加筆した。

本書を上梓(じょうし)するにあたっては、小峯隆生氏、PHP研究所の西村健氏にお世話になりました。どうもありがとうございます。

二〇一八年八月十四日、曙橋（東京都新宿区）の自宅にて、

佐藤　優

世界のエリートが学んでいる哲学・宗教の授業

目次

第十一講　信頼の研究

第十二講　キリスト教を知らない日本人

第十三講　バチカンの世界戦略

第一講

なぜ哲学を学ぶのか

佐藤優さんのベストセラー『人たらしの流儀』（ＰＨＰ研究所）で、佐藤優さんの聞き手を務めた私、小峯隆生は、ときどき筑波大学で「コミネ語り」と称して授業をやっている。私の授業に、佐藤優さんをゲストスピーカーとして、招き、開始したのが、この授業だ。

本書の「哲学的訓練」を最初に閃（ひらめ）いたのは、佐藤優さんが時々行っている、社会人相手の本の勉強会を見学に行った時だった。

（この形式で、大学の学生に対して講義をしてもらえれば、すげぇー、面白いのでは……）

さらに閃きステップが、自分の脳内でつながっていく。

（それも超優秀で、ゴリゴリの意識が高い学生たち相手にやってみたら……）

佐藤優さんに会った時に、この企画案を打診したところ、

「いいですよ」

と佐藤さんから即答ＯＫを頂いた。

スタート地点を通過。次は「ゴール」となる、本を出してくれる出版社を探した。『人たらしの流儀』の版元であるＰＨＰ研究所さんに相談したら、こちらも

快諾してくれた。

次は、学生集めだ。

私は、筑波大学で非常勤講師を務めている。そこで、同大学の逸村裕（いつむらひろし）教授にお願いすると、快諾。

さらに、筑波大学、東京大学、京都大学の各大学院から、マスターコース、博士コースにいる優秀な学生に声をかけた。

やがて、狭い会議室に、佐藤優氏、聞き手の小峯、そして学生たちが詰め込まれた。学生の中には、当時、東京大学大学院博士課程に学んでいた落合陽一氏（現メディアアーティスト）もいた。

こうして、佐藤優さんによる哲学的訓練が始まった――。

――佐藤さん、これからの時代に我々には、何が必要なんですか？

佐藤　哲学を学ぶ必要があります。欧米の知的エリート、政府の中枢に携わる人々は、すべて、その訓練を受けています。

――いわば哲学的訓練ですか？　その訓練をすると、どんなことがわかってくるのか、少し、教えてください。

マッカーシズムがアメリカを硬直した国にした

佐藤　その一例として、第一回は元大阪市長の橋下徹氏のケースから、「マッカーシズム」（一九五〇年代のアメリカで起こった反共運動）という現象について考えてみたいと思います。橋下徹氏は今までの「ゲームのルール」では許れないことを次々に打ち出しました。

テレビ・新聞のニュースなどで、コメンテーターとか、識者と呼ばれる人たちを見事なまでに論破しました。

――やっていましたね、コメンテーターの皆様を、完璧論破。

佐藤　視聴者から見れば、橋下さんの完勝、という印象でしょ？

――圧倒的な勝利ですね。頭のいい人たちがコテンパンですからね。見ていて、気持ちいいですよ。

佐藤　そのやられた一人の政治学者の山口二郎さんは、私の親しい友人です。
　私は「橋下徹現象は、反ファシズム論では勝てないと思います。あれはね、ファシズムじゃないからです」と言ったのです。

――えっ、「橋ズム」と揶揄されたほど、ファシズムなんじゃ、ないんですか？


佐藤　ファシズムは、内側に対して優しくして、国民を束ねていく。逆にその外側にいる人は嫌だろうけどね。

　ところが、橋下さんには内側に対する優しさがない。

　それから、バラバラにアトム化した人間を束ねていくという発想もない。ここでアトム的世界観について説明しておきます。アトムとは、原子と訳されますが、ギリシャ古典哲学で、これ以上分割することができない基礎単位を指します。個人から社会ができているという考え方はアトム的世界観に基づきます。

　橋下さんには、アトム化した個人を束ねていくという発想が希薄です。だから、ファシズムではありません。

　これは、アメリカのマッカーシズムのアナロジー（類比）と見るべきだと。

　私が、山口二郎さんにそう言うと、「それは確かにいいポイントを衝いている」

と言っていました。

——一九五〇年代、米国ハリウッドの映画業界も巻き込んだ、赤狩りの「マッカーシー旋風」ですか!

佐藤 そうです。彼は紙を頭上に高々と、振りかざすんですよ。

「私の手元には、アメリカの国務省にいる共産党の党員リストがある」

その数を多くと言ったのか、具体的な人数を言ったのかよくわかりませんが、ただ一つ、言えることは、そのリスト、実は存在しなかった。

——えっ⁉

佐藤 ハッタリだったんです。しかし、アメリカ中、「これは大変だ!」とパニックになりました。この時から、マッカーシーはアメリカ政治における、欠かせないプレイヤーになりました。その後の彼の活動に注目してみます。

彼は、出会った相手に対して「お前は共産主義の手先だ」とまずぶつける。そして、徹底的に相手を叩き潰します。しかしその後、ポンと肩を叩いて、

「そんな、怒るなよ。言い過ぎたよ。まー、飲めよ」

——貶(おとし)めといて、あとからフォローですか?

佐藤　そうです。

マスコミの記者たちに対してはこうです。

「お前を徹底的に潰してやる」と攻撃してくる記者からも逃げることなく、

「まー、飲めよ、水割り？　ソーダ割り？　僕は、悪く書かれてもいいからさ」

と言って徹底的に付き合う。

マスコミの記者たちも「あれ、マッカーシーって過激な論をぶつだけかと思ったら、意外といいやつじゃん」とだんだん、味方が増えてくる。

――二〇一〇年代の日本にもありそうなお話ですな……。

佐藤　マッカーシーは、共和党議員です。しかし民主党議員すら逆らわない。さらに、国務省、ＣＩＡとかからも協力者がどんどん出てくる。やがて絶大な権力を持つようになるんですね。

――しかし、独裁者にはならなかった？

佐藤　ならないんです。映画で「独裁者」を演じたチャップリンを〝赤〟だとして、赤狩りの対象としたことはあったようですが。

「虚偽　シチズン・コーン」というアメリカのテレビ映画作品があります。

これは、マッカーシーと組んでいた弁護士の物語です。日本語版はありませんが、Amazonで買えます。これを観ると凄く参考になります。

マッカーシーはアイルランド系。当時アメリカでアイルランド系の人々は差別されていました。苦労して、叩き上げで弁護士試験に通り、その後、判事になりました。

そして、地方の政界に進出。常に敵を作り出し、その敵に対抗する味方も自分で作り出し、その敵と戦うというスタイルで権力をつけ、やがて、上院まで上っていく。市民に敵は誰なのかをまずはっきり示し、自身の意見の賛同者を味方にし、権力の中枢へと上りつめていく。先ほどお話しした橋下氏の形態とよく似ていませんか?

――マッカーシーの登場でアメリカの何が変わったんですか?

佐藤　マッカーシーが活動したのは、実質四年です。その間にアメリカの国家の在り方が変わってしまいました。

アメリカはナチスと戦った反ファシズムでリベラルな国だった。ところが、それが、反共的で非常に硬直した発想の、イデオロギーの強い国になってしまった。

それまでのアメリカはモンロー主義で、自国以外の世界には首を突っ込まなかった。しかし、それが、世界の憲兵の役を果たし、全世界にアメリカの基準を押しつけるようになった。その結果、ベトナム戦争に突入し泥沼から抜け出せなくなってしまった。

また、アジア外交でも、イギリスは毛沢東政権を承認しましたが、アメリカは最後まで台湾にこだわりました。アメリカも当初、毛沢東政権を承認しようとしましたが、マッカーシーの力によって、それができませんでした。

しかし、今日の世界勢力図にも影響を残したマッカーシーは、最初は普通の人間だったらしいのです。

そんな彼が、先ほどお話しした一九五〇年二月九日、ウェストバージニア州のホイーリングで演説をし、その中で、国務省には共産主義者がうようよしており、自分も国務長官も、その名前を知っていると言い放った。

後日、マッカーシーは共産主義者が二〇五人と言ったか、七一人、五七人、それとも多数、と言ったかということで、若干の論争がありましたが、数なんて問題ではありません。国務長官にも知られている共産主義者が我が国に勤務し、国の政策を立てている。この驚くべき発言を調査するために、上院委員会が設けられた――。

マッカーシー。彼はそもそもどんな人物なのか？

マッカーシーにはやりたいことがないんです。主義も原理もない。シニカルに笑い飛ばしているニヒリストです。

個別の局面で自分が目立ち、自分のことを怯（おび）えている人がいて、その一方で自分を崇拝している人がいる。それらを見ていて楽しかったのでしょう。

ビジョンなき革命家で、理由なき反逆者です。

「マラパルテの原則」に従えば革命を起こせる

――なんでアメリカ人たちは、当時、あんなに熱狂的にマッカーシーを支持し、騙（だま）された格好になったのですか？　共産主義怖い、その一点だけですか？

佐藤　当時は第二次世界大戦後で、アメリカは景気が悪くなっていて、閉塞感が国中を覆っていました。

――その閉塞状況が、マッカーシーを求めたんですか？

佐藤　そう。世の中に閉塞感が蔓延（まんえん）すると、それを打破するためには、マッカーシーのような人が必要です。

文化人類学でいうところの、トリックスターです。

――トリックスターが、国家権力を掌握できるんですか？

佐藤　権力を取る。それには当然、取り方があるんですよ。

――選挙で勝って、議会で過半数とれば、いいんですよね？

佐藤　マラパルテの原則を使います。

――なんですか、それ？

佐藤　マラパルテは、イタリアの有名な政治学者で、作家で、陰謀家です。最初は共産主義の影響を受けていましたが、後にファシストになりました。イタリアのファッショ革命の初期には、その中心にいた。『クーデターの技術』という本を書いています。

――そもそも簡単にクーデターって、できるんですか？

佐藤　これは、権力奪取の教科書で、いまでも、合法、非合法を問わず権力奪取をする時は、マラパルテの原則通りに、動いています。

――どんな原則なんですか？

佐藤　大衆運動とか、議会で多数を占めるということじゃなくて、ピンポイントで何人かの専門家たちをちゃんと摑んで、ネットワークを作れば、権力は簡単に取れる、という法則です。

――そんな簡単に権力が……。

佐藤　橋下さんはこのやり方をすれば、革命が起こせたかもしれませんよ。

――実はもう読んで、活動していたんじゃないですか？

佐藤　どうでしょう。書物から何かを学ぶということを重視していない人のように思えるので……。

その『クーデターの技術』の中に、近代のクーデターの定義は、ひとえに組織された反乱技術によって決せられるという趣旨のことが書いてあります。

この「組織された反乱技術」。これが、キーワードです。

『クーデターの技術』によれば、

「反乱は技術ではない。一つの機械なのだ。機械を動かす為には、技術者が必要なのと同様、反乱を起こす為にも専門家が必要なのだ、そして、この反乱と言う機械を喰い止めることができるのは、この専門家だけなのだ」「反乱という機械が回転するか否かは、一国の政治的・社会的・経済的な条件によっては決せられない」

ここでの専門家というのが、日本に置き換えるなら、官僚なんですよ。その官僚の中の不満分子、または、官僚機構から追い出された者……。

――あっ、いらっしゃいますね、そんな方々……。

今、目の前にも……。

佐藤　ハイ（笑）。

そんな人たちにかかれば、国家機能は、このボタンを押せば動き、あれをすれば機能がストップするということを熟知しています。どうやればいいか、革命を起こしたい人物に、丁寧に、こういう人たちがアドバイスする。

　そんな人物が複数、革命を起こそうとする者とともに動けば、どうなるでしょうか？

――革命起こせちゃいますね。

佐藤　だから、橋下氏が、古賀茂明氏（元経済産業省官僚）を自分の陣営の中に入れたことがありましたが、そのことの意味は、非常に大きかった。『クーデターの技術』と同じように思えませんか？　『クーデターの技術』を知らず知らずのうちになぞっていたわけです。

――でも結局、橋下さんは、大阪都構想の住民投票に敗れて、国政には打って出ませんでしたね。もし、あの住民投票に勝っていたら、そのあと国政も牛耳ることができていたでしょうか？

佐藤　マッカーシーは、なぜ、終わったのか。その結末から推測できます。
　地方では、マッカーシーのようなデマゴギー（意図的に虚偽の情報を流し、人々を扇動すること）は有効です。
　なぜでしょうか？　わかりますか？

――……田舎だから……ですか？

佐藤　そうです。苦し紛れだったわりには、本質を衝いている答えです。田舎には、外交・安全保障が存在しません。

――おらが故郷の話と、国とは違うというわけですね。

佐藤　そうです。外交・安全保障となると、外国との関係があるから、自分たちだけでプレイヤーの調整ができなくなる。外国相手にポピュリズム（自国の国民の利益が政治に反映されるべきとする政治の立場。大衆迎合主義）をやると、状況によっては戦争になってしまいます。だから、マッカーシーが共産主義という「カード」を国内で使っているうちはよかったのです。

しかし、核兵器を持っているソ連（当時）相手にやり始めると、マッカーシー自体が国家にとって、危険な存在となってしまいます。結果、マッカーシーは危険ということで排除されてしまいました。

――すると、橋下氏は、大阪ローカルの国内戦はずっと勝てるけど、国家レベルになると、ちょいと難しかった？

佐藤　そうなんです。だからね、もし大阪都構想の住民投票で勝利していたら、橋下さんの運命は次の三つのいずれかだったでしょう。

シナリオ一、あのままの調子でずっと続けて、外交・安全保障問題で、大変な虎の尾を踏んで、潰される。

シナリオ二、国政レベルの長、つまり首相になった時、現実主義的な政治家になる。彼は弁護士だから、それができる。しかし、結果丸くなるというか、つまらない政治家となって、それまでのポピュリズムにより構築してきた権力基盤を喪失して倒れる。

シナリオ三、橋下氏が新しい国民の物語を構築し、ムッソリーニかスターリンのような指導者になることです。

そのいずれかでしょう。

今回の内容をより深く学ぶための本

『マッカーシズム』R・H・ロービア著／宮地健次郎訳　岩波書店（岩波文庫）
『クーデターの技術』C・マラパルテ著／矢野秀訳　イザラ書房

Point

・マッカーシズムは、アトム化した個人（バラバラの個人）を束ねていくという発想がない。

・アメリカはマッカーシーによって、リベラルな反ファシズムから、反共的でイデオロギーの強い国に変わった。

・ポピュリズムが通用するのは国内だけ。外国相手にそれをふりかざすと戦争になるリスクも。

第二講

真理へのアプローチ

学問とは、実学を身につけることです。哲学も神学も、実学です。

日常感覚で「学問」が根付いているのはドイツだけ

佐藤　改めて問いますが、「学問」とは何でしょう?

それは、実学です。現実社会で役に立たなければ、意味がありません。

皆さんは実学というと、経営学や、経済学といったものを思い浮かべるかもしれませんが、文学とか、哲学とかを含めたものが実学です。

ヨーロッパでは、経営学や経済学しかやっていない教育機関は総合大学（ユニヴァーシティ）とは呼びません。総合大学には、文学、哲学はもちろん必ず神学部もあるのです。


――**神学も実学ですか?**

佐藤　神学はいわゆる実学ではありません。「虚学」と性格づけた方がいいと思います。印象からすれば「二十一世紀に神学?　実践的なものだけ学べば充分なのでは?」と思われるかもしれませんが、人間は、一見、意味のない、現実社会とは遠いところにあるものを学ぶことが必要です。それによって、いまの自分の目ではしっかり見えていないものを理解するための「回路」を身につけることができるのです。

そのため近代的な世界像ともかけ離れ、現実社会ではまったく役に立たないと思われている神学部が、いまだにヨーロッパには残っているわけです。「虚学」である神学は、実学を強化するために役に立つのです。

ただ、日常感覚で「学問」が根付いているのは、ヨーロッパの中でもドイツだけです。イギリスにもアメリカにもありません。

――どうして、ドイツなんですか?

佐藤　十七~十八世紀のバロックの天才で、微分法を発見したゴットフリート・ライプニッツがドイツにいた、ということが大きいです。

彼が登場する前のドイツ思想界は、ラテン語による著述や借用語が大半を占め、語彙(ごい)体系も確立していませんでした。そんな時代に現れたライプニッツは、フランス語、ラテン語、ドイツ語、この三つの言語で自分の考えていることを自由に表現できました。

彼の弟子クリスティアン・ヴォルフによって、ドイツ語の哲学用語が確立され、日常語にまで落とし込まれたのです。

日本語で哲学を語ると、悟性、理性、感性、認識とか、得体の知れない難解な言葉が出てきますが、ドイツ語においては皮膚感覚でわかる日常語なので、ドイツ語を母語とする人たちは哲学を比較的容易に理解することができます。

先に述べましたように、学問とは実学を身につけることです。

実学の中には、文学、哲学を含むと述べました。

その中の哲学は、ドイツにおいては、日常語にまで落とし込まれていることで「学問」として確立しているのです。

このドイツに存在する「学問」。その源流はギリシャにあります。

古代ギリシャでは、「知識」のことをエピステーメーとかテクネーといいます。

自動車教習所でいえば、実際にハンドルを握る技術教習がテクネーで、学科教習にあたるのがエピステーメーです。エピステーメーは、物事を頭で理解することを指します。

当時から、そうした言葉があるように、古代ギリシャの人々は、物事を観察し、その中に理屈があるのでは、と考えた人たちでした。

――ギリシャ人、何を観察して、どんなことを考えたんですか？

佐藤　たとえばアリストテレス。彼は、糞は時間が経つと臭いが消えるが、小便はますます臭くなるのはなぜか？　そんなことを真剣に考えていたのです。

観察するということは、主体と客体に分けるということです。

――主体と客体？？？

佐藤　サブジェクト（主体）とオブジェクト（客体）に分ける、言い換えると、見るものと、見られるものに分ける、ということです。

我々日本人は、基本的に主体と客体を分けません。

たとえば、パンッと、合掌してみてください。パンッと音がしますよね。この時、右手が音を出したのか？　左手が音を出したのか？　自分にも、他者にもわかりません。

また、合掌されている手を周囲の人が見た時、右手が左手を触っているのか？　左手が右手を触っているのか？　どっちが触って、どちらが触られているのかわかりません。判断できないわけです。

このようなこと、考えたこともない人が大半だと思います。しかし、主体と客体に分けて考える訓練をすることで、ヨーロッパ的な意味での真理に近づくことができるのです。

ロゴスとは何か

――具体的には、真理にどのようにアプローチしていけばよいのでしょうか？

佐藤　哲学用語の「ロゴス」。このロゴスの解釈（訳）の変遷、ロゴスとは何かを考えるアプローチからその方法を見ていきましょう。

――ロ、ロゴスって、何ですか？

佐藤　ゲーテの『ファウスト』、読んだことありますか？

――……ありません。

佐藤　ファウスト博士が、ヨハネによる福音書の冒頭をドイツ語に翻訳するシーンがあります。

ギリシャ語では、「初めにロゴスありき」。

博士は、最初何と訳したのか。博士はまず「言葉（ヴォルト）」と訳します。

――初めに言葉ありき？？？

佐藤　すると、「私は言葉を信じない」と言って、二回目に「初めに心（ジン）ありき」と訳します。

しかし、「心はすべての物を作り出せるのであろうか？」と自問して、三回目に、「クラフト＝力」と訳します。

やがて「力でも、どうも違う感じがする」として、最後は「タート＝行為（わざ）」と訳すのです。

これは、四個の翻訳と考えるより、四通りのアプローチと考えるべきでしょう。

――なるほど。四方向から、対象に接近して、その言葉＝ロゴスの真意をつかもうとしてるんですね。

佐藤　そうです。

「言葉」は、ギリシャ的アプローチ。

「心」は、ヘブライ（ユダヤ）的アプローチ。

「力」は、ニュートン物理学に代表される近代的アプローチ。「力」については少し難しいので、事例として、今日の日本周辺の国際関係をニュートン的な「力」でアプローチして考えてみましょう。

――ニュートンは、引力とか、重力ですよ……。

佐藤 そう、その「力」という観点から、力の均衡で、国際関係を読み解いてみましょう。

いま、北方領土でロシアは居丈高になり、竹島では韓国が相当強い調子になっています。

尖閣諸島でも、中国がどんどん自己主張を強めています。

――なんでなんですか？

佐藤 国と国の境界線は、双方の力関係で決まります。いまの日本の国力を見てみると、三・一一の東日本大震災以降、明らかに弱くなっています。

そうなると、諸外国は線を引き直す行動に出てきます。力の論理です。

――尖閣諸島に容易に中国が出てくる。

佐藤 そうです。力関係が変わりつつあるのです。

――わっ、なんかわかりやすい。四番目の「行為」のアプローチはどうなんですか？

佐藤　京都学派の哲学者で田辺元（たなべはじめ）という人がいます。二十世紀の日本で恐らく一番、頭がキレる哲学者だったでしょう。

この田辺先生が、戦時中から小中学校の先生相手に年に一回、四年間哲学の講義を行っていました。その一年目の内容をまとめた『哲学入門』という本があります。

それを読むと、前出のゲーテの、言葉、心、力、行為というのをどう解釈するかについて、歴史的発展に於ける考え方の変遷なんだという見方を示しています。

先ほどの私の説明の元ネタは、田辺元先生のものだったのです。

「行為」のアプローチは現代的なアプローチです。このアプローチは、時代背景によっては大変な悲劇を引き起こすこともあります。

昭和十四年に、田辺元先生は京大生を相手に公開講座を行い、その記録が翌年『歴史的現実』というタイトルで出版されてベストセラーになりました。

そこには、「これからは総力戦の時代になる。空襲があれば私たち銃後にいる人間も、最前線に行く兵たちと同じで、いつ死ぬかわからない。しかし、個々の人の生命は、有限だが、悠久の大義のために生命を捧げるならば、永遠に生きる。生きるということは死ぬということだ」といったことが書かれていました。

この田辺元先生の『歴史的現実』をかかえて、多くの若者たちが、特攻隊に志願して、散華（さんげ）しました。

――人を操る哲学者、怖いじゃないですか!!

佐藤　ですから、哲学者は、自らの言葉によって、他人に命を差し出させる可能性があるということを充分注意していただきたいと思います。

今回の内容をより深く学ぶための本

『ファウスト』ゲーテ著／相良守峯訳　岩波書店（岩波文庫）
『哲学入門――哲学の根本問題』田辺元著　筑摩書房
『歴史的現実――戦後日本思想の原点』田辺元著　こぶし書房
『学生を戦地へ送るには――田辺元「悪魔の京大講義」を読む』佐藤優著　新潮社

Point

- 一見意味のない現実社会とは遠いところにあるものを学ぶことで、見えていないものを理解する「回路」が生まれる。
- 主体と客体に分けて考える訓練を行うことで、ヨーロッパ的な意味での真理に近づける。
- 真理への四つのアプローチ。「言葉」「心」「力」「行為」。

第三講

建設的な議論のために

今回は廣松渉（ひろまつわたる）の『新哲学入門』の話を。相手の批判をするだけでは、議論はおもしろくなりません。「相手の論を踏まえて自分の見解を加える」態度が重要なのです。

哲学的訓練の一環として、イランを考える

佐藤　二〇一二年一月二十三日に一つの対イラン制裁強化策がＥＵ（欧州連合）で決定されました。なぜ、このような経済制裁措置が取られるのか？　なぜイランへの監視の目が注がれるのか？

今回はイランという国について考えてみましょう。

このイランという国は、数年以内に人類を滅亡へと導く可能性を有していました。

かつてアメリカ、ヨーロッパ諸国、イスラエルは、それくらいの危機感を持っていました。

そもそも、イランは、欧米的な考え方とまったく違う「ゲームのルール」で動

く国です。

プレ・モダンであり、ポスト・モダンの国でもあります。そのため、欧米諸国と思想戦を展開することが多いのです。

イランのマフムート・アフマディネジャード前大統領は、二〇〇五年に、イスラエルを地図上から抹消するという過激な公約を掲げました。

――イランは、その公約実現に向けて、動いていたのですか？

佐藤　動きました。テヘランでの、ホロコーストに関する国際会議で、「ガス室の有無にかかわらず、イスラエルが消滅するのは歴史の法則である。全世界の人民は、イスラエルの消滅に喝采するであろう」と述べています。

それを現実にするために、核開発を行い、ミサイルを製造しました。

イランのミサイルは、北朝鮮のノドン二号ミサイルをコピーしたシャハブ3です。射程距離二〇〇〇キロ、これはイスラエル全土を射程圏内に収めています。

ということは、このミサイルに核弾頭を搭載し、イスラエルのエルサレムを攻撃することが充分可能です。しかし、実際はそんなことあり得ないと思う人が多いのが事実でしょう。

——普通はそう思いますよ。いくらなんでもって……。

佐藤　それは、どうしてですか？

——エルサレムは、イスラム教徒たちにとっても聖地じゃないですか。

佐藤　メッカ、メディナに次ぐ第三の聖地。預言者ムハンマドが、一日で天に上がって、アッラーと会って、下りてきた。

核ミサイルを撃ち込めば、そのアクサーモスクもやられる。

合理主義の枠の中でイランが行動するならば、核ミサイル発射はない。しかし、非合理的な行動をする場合、どうなるか考えてみましょう。

イランのイスラム教徒は何派？

——シーア派です。

佐藤　シーア派の中のどういうグループ？

——シーア派の中も分かれているのですか？

佐藤　はい。だから、どのグループですか？

——うーん……。

佐藤　ムハンマドが死んだあと出てきた指導者に付いたグループです。

ムハンマドの娘・ファーティマの婿・アリーと、その子孫を正しい伝承者（イマーム）と考えるのが、シーア派です。なかでも一二イマーム派が、非常に影響力があります。

――一二イマーム派？？？

佐藤　イマームの一一人目が死んだ瞬間に、一二人目が現れたのだけど、直ぐお隠れになりました。九世紀終わりから十世紀はじめのころと言われています。その後、この世が終わる時、そのお隠れになった一二人目のイマームが現れて人々を助けるというドクトリン。

一二イマーム派に属する人々の一部に、この世の終わりには世界最終戦争が勃発してハルマゲドンになると考える人たちがいます。その一人がアフマディネジャード前大統領です。

――なるほど。そうなるとイランは、イスラエルに核ミサイルをぶち込む可能性は充分にあったわけですね。なんといってもお隠れになった十二代目イマームが救済してくれるわけですから。

佐藤　イスラム教徒が救われることになります。ミサイルを発射する可能性は否定できませんでした。十二代目イマームは八七四年にお隠れになって、今日まで、ずっと現れていません。

さらにインテリジェンス（諜報）の世界の常識では、イランが核兵器を持っていると確認されたら、可及的速やかにパキスタンの核弾頭をサウジアラビアに移動させると考えられています。核抑止の原理が働くからです。

――なんで、パキスタンが出てくるのですか？

佐藤　パキスタンの核兵器を開発するお金を全部出したのは、サウジアラビアと見られています。オーナーの要求に応えないわけにはいきません。

そして、サウジが核兵器を持てば、湾岸諸国、アラブ首長国連邦、カタール、オマーンと次々に核兵器を持つ可能性が出てきます。核の拡散が始まります。

核拡散で大変な緊張状態となり、南米のブラジルや日本も核兵器を持たざるを得なくなる可能性があります。

――そのような事態は、どうしたら、止められますか？

佐藤　とても難しい状況です。二〇一三年にイランの大統領が保守強硬派のアフマディネジャードから、穏健派のハサン・ロウハーニーに変わりました。当時、アメリカのオバマ大統領は、イランの核開発を交渉によって止めることが可能と考えました。そうした流れのなかで「イラン核合意」が交わされたのです。

核兵器開発を疑われていたイランと米英独仏中ロが2015年7月に結んだ合意。イランが高濃縮ウランや兵器級プルトニウムを15年間は生産しないことや、ウラン濃縮に使われる遠心分離機を大幅に削減する代わり、米欧が金融制裁や原油取引制限などを緩和した（二〇二〇年一月七日付「朝日新聞」キーワード「イラン核合意」）

これで近未来にイランが核保有国になる可能性はなくなったという見方が主流になりましたが、一七年一月にアメリカで政権が共和党のトランプ大統領に替わってから事態が大きく変化しました。トランプは一八年五月に核合意を離脱し、イランに対する制裁を再開しました。これに反発したイランが一九年五月から段階的に核合意の履行停止を進める、すなわち核開発を再開しています。イランが核兵器を保有することが確実となった場合、イスラエルが武力でそれを阻止する可能性があります。そうなると第五次中東戦争に発展することになります。

イランの核保有を止めることができないと、世界中に核兵器の拡散が起こり、極めて厄介な事態になります。

今の日本の論壇は「阿呆の画廊」

佐藤　前回、田辺元先生という哲学者のお話をしましたが、今回は廣松渉（ひろまつわたる）先生の『新哲学入門』。これを読み解いていきましょう。

『新哲学入門』の中で、「『批判』という日本語はとかく欠点をあげつらう方面にアクセントがかかりがちですけれども、批判（クリティーク）というのは吟味・検討の意味でして、全面的に賛成、追認してしまうケースをも含みえます」と廣松先生は述べています。

「クリティーク」は、ドイツ語です。英語だと、クリティシズム。

「どうも、コミネさんは、最近、僕にはクリティカルだね」

――えっ？　クリティーク、クリティカル……。

佐藤　一般的な訳し方だと、「どうも、最近、私に対して批判的で、なんか文句があるんじゃねーか？」という意味になります。

しかし、「クリティーク＝批判」とする翻訳は間違えた訳です。

――あれ、誤訳なのに通例として通用するんですか？

佐藤　明治時代に、いくつかの誤訳がなされています。その中の最も大きい間違いが、この「クリティーク＝批判」です。クリティークの訳に、「批判」を当てたことですね。

日本語の「批判」はそもそも歌舞伎のタニマチの用語だそうです。金持ちが役者に文句をつけるのを「批判」といいました。

明治時代の初期に、お雇い外国人たちが、日本人にいろいろなことを言うのを見て、「あー、クリティークって、多分、批判のことなのだな」と思ったわけです。

小説の作品を論ずる場合など、文芸批評っていいますよね。

――文芸批判だと、確かに責めているような印象がありますね。

佐藤　そう、だから、文芸批評と少し緩めた言葉になっているわけです。クリティークという単語は、そもそも、相手の立場を承認している場合に使われます。

文芸批評の例では、「あなたの書いている物を読みました。私は賛成です。クリティークです。そこに、私は〇〇という意見を付加したいと思います」――これが、建設的なクリティークです。

相手の論を踏まえて、自分の見解を付加していく。これがクリティークの基本形です。相手の見解に一〇〇％賛成する場合もクリティークです。

「そんな意見は、とんでもねぇー」と拒否するクリティークもありますが、それはごく稀な例です。

クリティークという観点から物事を見るのは、学問にとっては、死活問題に直結するほど重要なことです。

クリティークの姿勢を欠くと、ヘーゲルのいう「阿呆の画廊」です。

――どんな画廊なのですか？

佐藤　いや、画廊はモノのたとえです。

「僕は、Aが絶対に正しいと思う」

「いやいや、私のBが、絶対に正しい」

これは、「神々の争い」と言われています。

神々の争いは調停することができません。

いま日本の論壇に活気がなく、つまらないのは、そのほとんどが「阿呆の画廊」か、「神々の争い」になっているからにほかなりません。

相手の論を踏まえて、自分の見解を付加していく。これがクリティークの基本形といいましたよね。いまの論壇にはそれが欠けているように思われます。

まるで空中戦です。常に勝利宣言を発して、次の場所に行くのが、空中戦です。クリティークな姿勢の訓練が、まったくない形で、いくら活字を読んでも内在的な論理を摑むことはできません。

猫は危機に遭遇すると目を閉じてしまい、死ぬ

佐藤　『新哲学入門』の「現相の存立構造」という項に、「素朴的実在相」という言葉が出てきます。素朴的実在相というのは、廣松さん独特の言い方ですけど、通常の哲学の世界では、素朴実在論といいます。

素朴実在論とは、何か？

目の前に水がある。

目の前に机がある。
○○があるということを常識的に理解することが素朴実在論です。
『新哲学入門』の中では、歩みを進めたり、身体の向きを変えたりしても、そこにあった物は変わることはないが、人間の知覚風景は変化すると述べられています。目を閉じただけでも知覚風景は消失してしまいます。

猫は犬に比べると、交通事故に遭う確率が高いといわれています。

なぜかというと、猫は、危険が迫ると、目を閉じてしまうからです。

目を閉じて、視界が閉ざされると、眼前の恐怖が消えます。結果、よく交通事故に遭うのです。

人間にも同じ習性があります。

極端に怖いことがあると、現実を見ようとしない、目を向けようともしない習性があります。三・一一で、福島第一原発で、相当大変なことが起こってしまいました。

しかし、東京電力、原子力安全・保安院、マスメディアの人々も〝猫化〟していました。嫌なものは見なければいい、と。

さて、我々人間は、身体の向きを変えたり、目を閉じたりすると、それまで見えていたものは、確かに消えます。

しかし、我々はそれが本当になくなったわけではないことも知っています。見えなくなっただけで、存在しなくなったわけではありませんね。

実際に「存在する」ことと、「存在すると思っている」ことは違うということです。

「ある」という概念は、実はかなり難しい概念なのです。

この「ある」という概念を追究する哲学分野があります。

それがオントロギーです。英語ですと、オントロジー。オンはギリシャ語で「ある」という意味です。日本語だと、存在論になります。

これを理解するために、次回さらに『新哲学入門』を見ていきましょう。

今回の内容をより深く学ぶための本

『新哲学入門』廣松渉著　岩波書店（岩波新書）

Point

・「クリティーク」を批判と訳すのは間違い。クリティークとは、相手の論を踏まえて、自分の見解を付加していくこと。

・クリティークの姿勢を欠くと、ヘーゲルのいう「阿呆の画廊」、非建設的な議論になってしまう。

・『新哲学入門』の素朴実在論（素朴的実在相）。人間が身体の向きを変えたり目を閉じたりしてもそこにあった物は変わらないが、人間の知覚風景は変化する。

第四講

人間の認識のしかた

我々の認識は、我々の文化による拘束を受けています。さらに、他者との関係がモノのように見えてしまう現象「物象化」が、常識や、社会のシステムを作り出しています。

虹は七色ですか？

佐藤　我々日本人は「虹の色は何色？」と問われれば、七色と答えます。おそらく小学生でもそう答えるでしょう。誰も「三色」とか「十色」とは言いません。でも世界には、三色です、十色です、と言う人々も大勢います。「七色の虹」と言って通じるのは、日本の文化圏の中だけなのです。つまり日本人の間には、「虹は七色」との共通認識があり、それがいわば常識となっているわけです。

こうしたことについて、廣松渉さんの『新哲学入門』では、「共同主観的（間主観的）」という言葉をよく使って説明しています。自分と他人の間に共通の認識があるから、物事や世界が成り立っているという考え方です。

——なるほど。するともしかして、虹が見えたらなんとなくラッキーと思ってし

まうのは、日本人だけなんでしょうか。

佐藤　それも、日本の文化の中での話です。中国では、子供は親から「虹を見ると目がつぶれる」と言われることがあります。

それに中国の政治家は、虹を好みません。古来、虹は、地上の秩序に怒っている天の不満の表明だと伝えられてきたからです。大飢饉、天変地異、政変の象徴のように言われることもあります。

――なんだか、日本と真逆ですね。でも、ハリウッド映画などでは、ラストシーンとかで、希望の虹が彼方に……なんてシーンたくさんありますよ。欧米は虹に対する感覚が日本に近いのでしょうか？

佐藤　ハリウッド映画などで、虹が希望の象徴のように描かれるのは、ユダヤ・キリスト教の影響が大きいと思います。旧約聖書に出てくるノアの方舟の物語ですね。

大洪水がおさまった世界で、祭壇を築き、捧げ物をしたノアたちに対し、神はもう大洪水を起こさない証として空に虹をかけるのです。

今の日本人が虹に良いイメージを抱いているのも、近代以降に欧米化が進んだことが大きいでしょうね。

「物象化」が常識を作り出す

佐藤　廣松さんの哲学のキーワードに、「物象化」があります。

人間は、その社会的環境において他者との関係を有します。その関係がモノのように見えてしまう現象を「物象化」と、廣松さんはいっているのです。マルクスの考え方からさらに発展させた考え方です。

マルクスは、近代以降、人間は自らが作り出した社会システムに取り込まれ、いつの間にか、主導権を持たない歯車になってしまっている、という考え方を示し、それを「疎外」と呼びました。そして、本来の人間性を取り戻さなくてはならないとも主張しました。その主張・考え方を「疎外論」といいます。もっとも「疎外」という元には、取り戻されるべき「本来の姿」があるという前提に立っています。

廣松さんは、この「本来の姿」なんていうものはなく、関係性こそが常識だったり、社会のシステムだったりを作り出している、と考えたのです。

お米で考えてみましょうか。

AさんとBさんがお米を生産しているとします。同じ時間をかけて、同じだけの収穫を得て販売しました。しかし、Aさんの生産したお米は、コシヒカリ。Bさんのお米は一般のごくごく普通のお米でした。結果、Aさんのお米の方が高く売れ、多くの収入を得ました。

いわば、Aさんのお米は「ブランド米」だからこそ売れたわけです。生産者と消費者、消費者と消費者の関係性、すなわち「このお米は特別だ」という意識が消費者の間で広まったことから生まれたものです。「ブランド米」というのも「物象化」の一つの現れなんですね。

さて、この「物象化」ですが、実は仏教の考え方に似ています。

ユダヤ・キリスト教では、「世界」はどうやってできたとなっていますか?

――光あれ、ですよね。

佐藤　そう。では、仏教は?　となると……。答えを言ってしまいますが、「唯識(ゆいしき)」と、「阿毘達磨倶舎論(あびだつまくしゃろん)」で展開されるアビダルマ哲学が重要になります。

す。

「唯識」は、大まかにいえば「世界は心にあり、外界はない」という考え方で

と考えます。

一方、アビダルマ哲学では、「世界はすべて関係性によって成り立っている」

経典もアビダルマ哲学を踏まえたものが少なからずあります。

アビダルマ哲学は、上座部（いわゆる小乗仏教）の考え方ですが、大乗仏教の

虚空（こくう）の中に風が吹いてくる。やがて、風はグルグルと回っているうちに、上部

に水の層（水輪（すいりん））ができる。その層が厚くなってくると、牛乳を沸かした時にで

きる膜のようなものができる。しかも、それは金属の膜。

その膜を金輪（こんりん）と呼びます。その水輪と金輪の境目を金輪際といいます。「お前

とは金輪際付き合わない」なんて言う時の「金輪」の語源です。

その金輪から、山が出てくる。その山の名が、須弥山（シュミセン）。ここはス

メール世界とも呼ばれます。

やがて、その須弥山を中心に、四つの島ができあがる。四角い島、丸い島、三

日月の島、三角の島の四つです。

我々は、その三角の島に住んでいるというのが、阿毘達磨倶舎論の創世の考え方です。

空は、なぜ青いのかも、きちんと解説されています。

——地球には大気があるから、太陽光の青い光をその空気が散乱させて……。

佐藤　スメール世界は少し違います。須弥山の側面にエメラルドの青い壁が嵌（は）めこまれている、だから、空は青い。別の島に行くと、空の色は違います。

須弥山の上の方には天上界、我々の住む三角の島のある地上の少し下がった所には畜生道、さらにその下には餓鬼道、その下には地獄があります。

これがアビダルマ哲学の宇宙観ですけど、実体としてあるわけではなく、すべて関係性（物象化）からできています。

さらに関心があるのならば、『存在の分析〈アビダルマ〉——仏教の思想2』があります。大谷大学元教授・櫻部建（さくらべはじめ）氏と新京都学派の哲学者・上山春平（うえやましゅんぺい）氏が書いた本です。興味があれば、そちらも参照してみてください。

人間は文化的拘束の結果を体現する

佐藤　さて、関係性から生まれることを物象化といいましたが、この物象化は文化的に拘束されている面もあります。

ここで、質問です。

インドに、ボランティアとして汲み取り式公衆トイレを作りに行ったとします。どうなると思いますか?

――そりゃー、現地の皆さんは、衛生的になると、喜んで使うに決まっています。

佐藤　いいえ、誰も使いません。何の役にも立たないでしょう。

彼らの排泄物にもカースト制があるからです。先の廣松さんは「摂食のしかたや排泄のしかたでさえ本能のままではなく、文化的拘束」をされていると指摘しています。

――排泄物にも偉いのと、偉くないのがあるのですか?

佐藤　あります。

カーストの違う人々の排泄物が混ざるのはタブーなのです。

インド人は、朝起きて排泄をしようとする際、カーストが違う他人の排泄物が自分のものと混ざることを嫌がります。

だから、公衆トイレを作っても使用する人がおらず、何の役にも立たないとお話ししたのです。

近代になる前まで、排泄物は、ある意味「宇宙」を反映していました。それは、身体から出てくる残余でありながら、全部人格があります。だから、その話をインド人とすると、本当に蘊蓄(うんちく)のある話ができたりもします（笑）。

人間は生まれた時は、精神も知能も未成熟で、その後の教育の成果で、一人前の大人になります。この教育によっても文化的な拘束は生まれます。

また、歴史的背景も見逃すことはできません。戦前の日本では、こんなこともありました。

和式便所は足腰のバネを強くするから、洋式便所を使うなといった動きがあったのです。

早稲田大学出身で、中山忠直（なかやまただなお）という論壇人がいましたが、この人が書いた『日本人の偉さの研究』の中に、トイレの話が出てきます。

とくに重要なのは便所で、洋式の腰かけるスタイルではなく、跨（また）ぐ便所だから足腰のバネが強くなり、喧嘩も強くなって、白人に打ち勝つ、と、こんな論を主張したのです。

大正デモクラシー直後は、周囲から「馬鹿じゃねーの」と軽蔑されていましたが、昭和十三年になって、一躍注目されました。

――なんで、また、急に？

佐藤　昭和十三年の戦時体制下で、この本の第二版が出版されたことも影響していると思います。

一昔前は皆から馬鹿にされてきたが、今は周囲も、私と同じような主張をするようになった。日本はだいぶ、良くなったという趣旨のことを書いています。

太平洋戦争に向かう流れのなかで、「素晴らしい、これこそ、日本思想である」となったようです。

また、昭和三年のアムステルダム・オリンピックで、三段跳びで金メダルを獲った織田幹雄氏も、きっと子供の時から和式便所で踏ん張ることを繰り返した結果、足腰のバネが強くなったのだと、大真面目に当時の人々の間で語られていました。

いま、こんなお話をしても、多くの共感は得られないでしょう。これなどは、歴史的背景による拘束の典型的な例ですね。

今回の内容をより深く学ぶための本

『新哲学入門』廣松渉著　岩波書店（岩波新書）

『存在の分析〈アビダルマ〉――仏教の思想2』櫻部建・上山春平著　角川書店（角川ソフィア文庫）

『日本人の偉さの研究』中山忠直著　先進社（国立国会図書館デジタルコレクション）

Point

・「共同主観的（間主観的）」とは、自分と他人との間に共通の認識があるから、物事や世界が成り立っているという考え方を指す。

・廣松渉氏は他者との関係がモノのように見えてしまう現象を「物象化」と呼んだ。この「物象化」により常識が生まれ、社会のシステムが作り出される。

・人間の認識は文化や歴史的背景の拘束を受ける。

第五講

時代の後退——二十世紀は十八世紀

二十世紀は、既存の枠組みを疑う〈存在論〉の世紀のはずでした。しかし、第二次世界大戦でアメリカが勝利したことで、時代は「十八世紀」の段階に後退しました。

二十世紀後半は哲学的に見ると十八世紀

佐藤　突然ですが、いまは何世紀ですか？

――二十一世紀になって、二十年経ちましたが……。

佐藤　はい、その通り。では、その前は？

――もちろん、二十世紀です。

佐藤　そうですね。けれど、哲学的に見ると、二十世紀後半は、十八世紀に連続しているのです。

今回は、この説明をしましょう。

情勢論と存在論という考え方があります。以前に、私が上梓（じょうし）した『新約聖書I』の「非キリスト教徒にとっての聖書」の項でも触れた考え方です。

普天間飛行場の移設問題について、嘉手納基地と統合するとか、辺野古に移設する、あるいは県外、国外に移設するなど、いろいろと取り沙汰されました。

　これらは、すべて情勢論です。現状の予算、現状の日米関係、既存のルール、こうした枠組みの中で考えるのが、情勢論です。大ぐくりでいえば、日本の新聞に書かれているのは情勢論です。対して、存在論は、こう考えます。

　そもそも、沖縄は日本の中にある必然性はあるのか？

　沖縄がなぜ中国の中に入ってしまってはいけないのか？

　さらに、軍隊は必要なのか？

　このように、物事を根源から考えていく、既存のルールが間違っているのではないかと疑問を抱いて考えていくのが、存在論です。

　哲学的にいえば、二十世紀は存在論の世紀になるはずだったのです。「我々は、このままでいいのか」「そもそも既存の枠組み、ルールが間違ってはいないか」と考える世紀でした。

　そう考えるように至った経緯を見ていきましょう。

　十八世紀、人間は「理性」を見出しました。あらゆる人間が共通の理性を持っている。世の中の原理、法則は理性によって認識できると考えました。

この認識については、『新哲学入門』の中で、廣松渉さんも触れています。

我々は何かモノを見る時、そのモノ自体は自分の外にあります。

たとえば机で本を読む時、本は机の上、自分の外にありますね。自分の見る対象が先方にあり、当方〈自分〉は、見るという認識を内部でします〈意識対象〉。

自分が認識の対象として見ているもの、それが何であるかを認識する。この場合は本ですね〈意識内容〉。

でも、本を読んでいるつもりでも、ほかのことに気がとられて、ぼんやり見ていることなどもあるでしょう。見ているけれど、見ていないという状態です。見る、という行為によって自分の中に本という像が結ばれるためには、心、意識の作用が必要になってきます〈意識作用〉。

認識は、この「意識対象－意識内容－意識作用」の三項図式で成り立っていると、廣松さんは述べています。

ところが中世までは、こんな感覚ではありませんでした。

物事を認識するという感覚は、薄い膜が対象から、ふーっと飛んできて、ペタッと貼り付いて、その瞬間、瞬時にわかる。そんな心理感覚だったのです。impression（印象）の言葉の中には、press＝押すという意味の単語が含まれていますね。ハンコのようにポンと押してわかる。「あっ！」と一瞬で感銘を受けたりする。そんな感覚でした。

物事が直感でわかる。しかし、その直感が正しいかどうかの基準は、どこにもないのです。

だから、物事をきちんととらえていくために、我々は理性を使うようになりました。

理性は、分割可能です。

A＝B　B＝C　ゆえに　A＝C

これが、理性を使った近代的、合理的な考え方なのです。

さて、意味で分節化した場合、十九世紀はいつ始まったのでしょうか？　答えは、十八世紀末、一七八九年、フランス革命の起こった年からが〝十九世紀〟です。

世の中は理性によって認識できるという合理的な考え方は、革命へと発展し、科学技術も進歩させました。その結果として起こったのが、産業革命です。蒸気機関が発明され、汽車が走り、大量輸送が可能になりました。そして電気も利用されるようになり、医学の進歩とともに薔薇(ばら)色の未来が到来すると、十九世紀の人々は考えていました。

しかし、実際にはそうなりませんでした。

一九一四年に第一次世界大戦が起こってしまい、〝長い十九世紀〟は終わりを告げたのです。

文明が発展して、薔薇色の未来になるはずの十九世紀は、大量殺戮(さつりく)と大量破壊で幕を閉じました。このような結果になった世界を見て、人々は、「今までのあり方でいいのか」「もう一回見直そう」と思うようになり、これが次の世紀＝二十世紀の課題となりました。

「そもそも、既存の枠組みは間違っていたのではないか?」と根源から考え直す存在論が登場してきたのです。

どこの国が、一番、存在論を真剣に考えたと思いますか?

戦争に勝った方は、喜び、思考停止します。負けた方は、何で負けたんだろうと考えます……。

――すると、ドイツですか？

佐藤　正解です。一九一〇年代の終わりから、三〇年代にかけて、存在論をとても深刻にかつ、真剣に考えたのがドイツでした。

最も有名な人が、マルティン・ハイデッガー。初期には、フライブルク大学の総長として、ナチスを支持したことでも知られる人物です。

ナチズムとファシズムは、アメリカの圧倒的な物量によって敗れました。大量に物を作り出すことのできたアメリカの当時の情勢は、フランス革命以前のヨーロッパの啓蒙の精神から来ているのです。アメリカには、十九世紀に啓蒙主義への反動で起こった「ロマン主義」もありませんでしたから。

このアメリカが勝利したことで、二十世紀だった世界が再び啓蒙主義的な十八世紀に戻ってしまったのです。

――アメリカの思想って、先進的じゃないってことですか？

佐藤　そう、古いのです。しかもこのアメリカも行き詰まります。ソ連との冷戦に突入し、一九八九年のベルリンの壁崩壊に見られる東西冷戦の終結、イラクとの九一年の湾岸戦争、という形でアメリカの限界が露呈し、二十世紀が終わってしまったのです。

――ということは、「俺が世界の警察だ！」と己が正義を押し付けるアメリカの啓蒙の精神も行き詰まってしまった。今のユーロのように個々の国家の多様性を認める国家間の在り方は、アメリカを先取りしている姿になるんですね。

二種類の歴史「ヒストリエ」と「ゲシヒテ」

佐藤　アメリカの、時に傲慢（ごうまん）とも思えるこうした精神がなぜ行き詰まり、他と衝突してしまったかというと、「アメリカには世界史という発想がない」という点に見られます。

また同じように冷戦という形でアメリカと衝突したソビエトにも、ソ連史しかありませんでした。

双方、世界の歴史は、最終的に、アメリカ史とソ連史といった自国の歴史に収斂（しゅうれん）していくという考え方が無意識のうちにあったわけです。

戦前の日本にも、国史の中に世界史はありません。いずれ、日本の中に世界の歴史が、包摂されていくという考え方でした。

――それって、なんか、変だと感じるんですが……。

佐藤　一六〇〇年の関ヶ原の戦いは、天下分け目の戦いとして、我々には意味がありますが、アメリカ人にはどうでしょうか？

――「へぇー、そんなことがあったのですね」という感じで関心は薄いでしょうね。

佐藤　我々、日本人には、あの関ヶ原の戦いなしに、日本の歴史はない。

先ほどは、アメリカ人でしたが、これがドイツ人だとしても同じでしょう。

しかし三十年戦争（一六一八～一六四八年）は？　となれば、ヨーロッパにおいては死活問題にかかわるほど重要になってくるはずです。

ドイツには歴史という言葉が二つあります。

一つ目が、ヒストリエ。和訳すると、「記述史」。

これは、年表の延長線上のもので、できるだけ価値観を入れないで、あったことを、ただただ表面的に時系列で記していくものです。

二つ目が、ゲシヒテ。和訳すると、「出来事史」。歴史上の出来事に、意味を見出し、結び付けて、評価していくものです。

近代の歴史は、すべてゲシヒテです。ここで厄介なのが、ゲシヒテは複数存在し得るということです。

日本人にとってのゲシヒテと、中国人にとってのゲシヒテがまったく異なるのは、先のアメリカ人にとっての関ヶ原の例を見ても当然でしょう。

歴史上の出来事に対する個々の解釈が先行し、それに従って史実を拾っていく。昨今、日韓、日中で共通の歴史観を作ろうという動きもあるようですが、こうしている限りその道のりが限りなく険しいものであることも見えてくるのです。

今回の内容をより深く学ぶための本

『新約聖書Ⅰ』佐藤優著　文藝春秋（文春新書）

『歴史と階級意識』ジェルジ・ルカーチ著／城塚登・古田光訳　白水社（イデー選書）

Point

- 既存の枠組みの中で考えるのが情勢論、既存のルールが間違っているのではと疑うのが存在論。
- 第一次世界大戦後、ハイデッガーらによって存在論の時代がもたらされた。しかしアメリカの勝利で世界は啓蒙主義の「十八世紀」に戻った。
- 歴史には価値観が入っていないヒストリエ（「記述史」）と、歴史上の出来事に意味を見出すゲシヒテ（「出来事史」）の二種類がある。近代の歴史はすべてゲシヒテ。

第六講

「怖れ」と「笑い」について

「賞・罰行動」と、他人に笑われることは、人間の行動を規制します。非難されることへの「恐れ」と「笑い」について考察します。

三四郎はなぜ名古屋で下車したのか？

佐藤　前回、歴史には、起こったことを時系列で残していく「記述史」と、歴史上の出来事に意味を見出し、結び付けて評価していく「出来事史」があるとお話ししました。

多くの歴史は文字に記され残されてきました。我々は、残された文字を「通時性」と「共時性」の双方から読み解かなくてはいけません。「通時性」が対象の時間的、歴史的な変化を追いかけるのに対して、「共時性」は共通の時間における変化や差異に注目する見方です。

歴史をより深く理解するためには、その当時の人々が、書物などをどのように理解していたか、といったところまで踏み込んで読み解かなくてはなりません。単に書いてあることの表面的部分、表層部分を、そのまま受け取っていたのではいけないのです。

皆さんもよくご存じの夏目漱石の『三四郎』。これは、明治四十一年（一九〇八年）九月一日から、朝日新聞に連載されました。三四郎は九州出身で、列車に乗って上京してきます。途中下車をしますが、どこで下りたか覚えていますか？

――確か、名古屋です。

佐藤　なぜ、名古屋だったのでしょうか？

――当時、そこに駅があったから……。

佐藤　「共時性」の観点で着目すると、その当時、朝日新聞社が、名古屋に支局を開設したばかりでした。購読者を増やしたい朝日新聞社は、夏目漱石に注文して、名古屋を登場させたのです。

こうした観点から『三四郎』を読み返してみると、また違った印象を受けるのではないでしょうか。単にそこに書かれているものを表面的にとらえるのではなく、その時代はどんな時代だったのかなど、視点や関心を変えながら読んでみるとよいと思います。

人間の脳は、高い関心を抱いているものが、頭に入ってくるようになっています。ラブレターを投函（とうかん）するとしましょう。そうすると、普段は気にも留めていなかった郵便ポストの位置が、突然、気になり出します。また、こんなことを試してみても面白いと思います。朝の通勤通学で、自宅から駅までの道中、「赤色」に意識をおいて駅まで歩いてみてください。すると、「こんなにも赤い色が街にはあふれているのか」と気づくはずです。

――その感じなら、なんとなくわかります。妊婦になった友人が、街にはこんなにも妊婦や、赤ちゃんがいたのねって驚いていました。でも、それって、急に妊婦さんが増えたわけでもなく、彼女の認識の問題ですよね。感性のアンテナを張ると、向こうから情報が飛び込んでくるというわけですね。

佐藤　そうです。感性のアンテナの張り巡らせ方で、新しい発見があったり、違うものの見方ができるのです。人間の意識、認識には、利害や関心が常に潜んでいます。そのことについて言い表したのが、ユルゲン・ハーバーマスです。彼の『認識と関心』という書籍が、未来社から出ています。多くは触れませんが、ぜひ、読んでみてください。

「学校秀才」という揶揄

佐藤　さて、子供の頃から成績がよくて、頭のいい〝よい子〟と、言われてきた人は、きっと、学校の先生や親の言うことに反論をせずによく聞いてきたのではないでしょうか？　そのため、そうした人は、時に「学校秀才」と揶揄されてきたかもしれませんね。

人間は誰しも叱られるのが嫌いですし、叱られることに慣れていません。誉められることのほうが嬉しい。これは、なぜなんでしょうか？

――私は、「学校バカ」で、勉強もそんなに好きではありませんでしたので、叱られることに慣れているかも（笑）。

佐藤　廣松渉さんの『新哲学入門』の中では、賞・罰行動＝サンクションという言葉が出てきます。

人類＝ホモ・サピエンスは、動物学的に見ると早産であり、長期間の養育を受けて生育していきます。養育者やその他の身近な人たちが、養育期間中にさまざまなことを躾けていく。このことを廣松さんは「躾、仕向、仕込」と表現しています。

母親をはじめとした養育者は、幼児に対して、意識的か否かにかかわらず、いいことをした時に頭を撫でたり、いけないことをした時に叱ったりといった行動を取ります。そのたびに幼児は、ほとんど無自覚に賞罰に対する感覚を形成していきます。その結果、誰しも叱られることは嫌だ、となるのです。では、幼児は受動ばかりかといえば、時に、抵抗・反抗といった行動を見せることがあります。

この反抗の反応こそが、人類の文化に変容をもたらす大きな要因となっているのです。これがなければ、文化が変わらずに、だんだんと固定化していってしまいます。単なる「いい子」だけでは世の中は前に進んでいかないのです。何でも、「はい、はい」と言われたことをやっているだけではダメだということです。

人間はどんな時に笑うのか

佐藤　廣松さんは、人生を巨大な劇場と見なしています。

そこでは、誰が、主役であり、脇役、観客、演出家、そして、脚本家なのかはわかりません。その劇場の中に投げ込まれて、我々は何かの役を演じ、自他双方が期待する行動＝役割を果たしています。

たとえば、今まさに、この瞬間、私は教えるという役割、皆さんは教わるという生徒の役割を演じているわけです。共演者である皆さんが、私のことを教える人と認識してくれるおかげで、この場が成立しているのです。私は教える人という役割の中に、皆さんは、教わる人という役割の中に入っているのです。

ただし、ある役割が固定すると、そこで期待されるとおりの行動を取らなくてはならなくなります。こうした固定化した役割を廣松さんは「役柄」と名づけました。もっとも、役柄もそれぞれの状況において変化します。

たとえば、サラリーマンで平社員のAさんを例に考えてみましょう。職場では、課長に対しては部下という役柄、職場仲間に対しては同僚という役柄です。ここですでに「部下」と「同僚」という「役柄の変化」が見られます。そして、Aさんが家庭に戻れば、子に対して親という役柄、買い物に行けばお客という役柄です。Aさんは、さまざまな「役柄」の中で、それぞれの役割を演じていることになります。しかも、この「役柄」は一個人が所有するものではなく、社会や組織にすでにあるものです。会社なら部長、課長、係長といったポスト。野球でいえば、投手、捕手、内野手といったポジションです。

平時なら、こうした既成のポジション、ポストはきちんと機能しますので、その役柄を演じていれば、それで構いません。しかし非常事態では想定外の事態が発生しますから、固定化された既成ポジション、ポストでは対応できなくなってしまいます。

――非常事態では、機能しなくなったポジション、ポストに関係なく、正しいと思う方向に動いちゃえばいいんだ！

佐藤　そうですね。でも、そうした時に我々を動けなくしているもの、人間の行動を規制してしまうものの一つが、先に挙げた賞・罰行動です。

こんな行動したら○○さんに怒られるんじゃないか、世間の非難を浴びるんじゃないか、という思いがよぎる、といったことです。

また、人間の行動を規制するものには、「笑い」もあります。他人に笑われることは、人間の行動を強く規制する原理になるのです。
そもそも、笑いというものは、とても興味深い人間の行動ですね。
なぜ、人間にしか笑いはないのでしょうか？
フランスの哲学者、アンリ・ベルクソンが書いた『笑い』という書籍がありま
す。彼は、人間特有の「笑う」という現象と、それを喚起する「おかしみ」の構
造を分析し、その社会的意味を解明しようと試みたのです。
笑いには、悲しい時に笑う、悲しみの笑い、あるいは、照れ笑い、といったも
のも含まれます。
人間は、自分の論理で理解できることと、理解できないことの境界線に触れた
時、笑うんですね。
ときどき、「もうとんでもないことをしでかしてしまったにもかかわらず、へ
ラヘラと笑って報告に来る部下がいて困るんです」というような話を耳にするこ
とがあります。これなどは、部下にとっては、照れ笑いとかではなく、もうその
ミスをしでかしてしまった自分のキャパシティー、処理能力を超えようとしてい
る非常に危険な状態を示す笑いなんですね。

——なるほど。原発事故の説明をする担当者にそういう表情の人がいるのをテレビの報道で見たような……。あれは、危険を示すサインだったんですねー。私も、締切が迫っているにもかかわらず、どうにも文章が書けなくて笑えてきたことがありました。

佐藤　笑いや怒りは、考えたうえで、出てくるものではありません。無意識のうちに、すぐ出てきますよね。

だからこそ他人に笑われる、怒鳴られるということは、その人の行動を規制する上で、非常に大きなウエイトを占めていることになります。

笑われたり、怒鳴られたりした時に萎縮（いしゅく）しないようにする、反対に自分自身の笑いや、怒りをコントロールするには、「哲学的な訓練」が必要になってくるのです。

今回の内容をより深く学ぶための本

『三四郎』夏目漱石著　新潮社（新潮文庫）ほか

『認識と関心』ユルゲン・ハーバーマス著／奥山次良・八木橋貢・渡辺祐邦訳

未来社
『新哲学入門』廣松渉著　岩波書店（岩波新書）
『笑い』アンリ・ベルクソン著／林達夫訳　岩波書店（岩波文庫）

Point

・テキストを読み解くアプローチには、対象の歴史的、時間的な変化を追いかける「通時性」と、共通の時間における変化や差異に注目する「共時性」がある。

・罰への怖れが、人の行動を固定化させる。

・人間は、自分の論理で理解できることと理解できないことの境界線に触れた時に笑う。

第七講

閉塞感がもたらすもの

現代は時代小説ブームですが、昭和十年代にも江戸ブームがありました。両者に共通しているのは、「歴史の終わり」「世の中はこれで完成されている」という閉塞感です。

昭和十年代の江戸ブーム

佐藤　二〇一一年三月、シリアの内戦が激化しました。これは、チュニジア共和国で起こったジャスミン革命に端を発したアラブ諸国の民主化運動の一つです。一連の騒乱は「アラブの春」と呼ばれています。このように世界が騒乱のさなかにあって、我々日本人に目を移しますと、どうも国内にしか目が向いていない。ややもすると対岸の火事のように暢気（のんき）に構えている感が否めません。

世界情勢の激しい変化を、なぜ、そのようにしか受け止められないのか。その根底に何が起因しているのか。我々の思想領域に踏み込んで考えてみましょう。

柄谷行人（からたにこうじん）著『言葉と悲劇』の「江戸の注釈学と現在」の章によれば、昭和十年代（一九三五〜一九四四年）に「一種の江戸ブームが起こった」とあります。この「江戸ブーム」の時に世間では「時代小説」が広く読まれた、ともあります。

ここでの「時代」とは「江戸時代」のことです。歴史的関心から広く読まれたのではなく、江戸の中に当時のいまを投射した「時代小説」が広く読まれていたわけです。

さて、昭和十年代ではない、今の書店を見渡しますと、「時代小説」の文庫が大変賑やかです。作品自体は、きちんと時代考証を経ているでしょうが、読者に「時代小説」を読んで「江戸時代」を勉強しようという考えはないでしょう。武士の階級社会を現在の会社組織に当てはめたり、市井(しせい)の人々の暮らしを同じように自分自身に置き換えてみたり……。

昭和十年代に起こった江戸ブームで、「時代小説」が広く読まれた構造も同じだったと思います。そこには、歴史への関心の欠落が見て取れます。

少し話は古くなってしまいますが、歴史への関心の欠落の最たるものが菅直人(かんなおと)元総理の発言です。菅さんは、自らの内閣を「奇兵隊内閣」なんて名づけてしまいました。

正規軍に対して奇兵隊でしょ？　菅さんは政府の人間、いわば正規軍のほうでしょ？

——確かにそうですね。

佐藤　なぜ「平成の開国」「奇兵隊」「平成の坂本龍馬（りょうま）」といった表現が政治に出てくるのか？　これらはすべて、歴史に関心があるのではなく「今」を投影しているだけなのです。

平成30年度の高校生の留学に関する意識調査（文部科学省調べ）では、「留学したい」が36・8％、「留学したいと思わない」が63・2％。それより数年前の平成23年度調査では、「留学したい」が42・3％、「留学したいと思わない」が57・7％でしたから、割合だけから見ると、「留学したいと思わない」が増えています。留学したいと思わない理由のトップは「言葉の壁」で、それ以外の理由としては「魅力を感じない」や「経済的に厳しい」などが続きます。

こういった傾向は、排外主義的（ショービニスティック）なナショナリズムではないのですが、

「別に、外国から学ぶものはないし、国内で満ち足りている」

と若者たちが何となく、そう思っている。

これは、歴史が何かに到達するとか、達成すべき何かを持つという概念がなくなった状態で、一種の「歴史の終焉（しゅうえん）」です。我々自身が、今、新しい江戸時代を国内で創り出しているということです。

江戸時代というのは、一つの日本の完成体でもありました。

――海外に行って、学ぶものも見るものも何もない。日本国内は安全で、近くのコンビニ行けば、全部あると……。

佐藤　そうです。

江戸時代は、鎖国をしてはいましたが、決して国を閉ざしていたわけではない。オランダ、琉球、朝鮮、清国とも外交関係はありました。国際文献としては、中国語のものは全部読むことが可能な時代でした。

しかし、江戸時代の人々や幕府は「世界は完成している」として、外に目を向けなかった。

その結果、その当時の人々の美意識は、最終的にエログロナンセンスに向かいました。

化政（かせい）文化と呼ばれる文化・文政の時代に鶴屋南北（つるやなんぼく）の『東海道四谷怪談』などが

生まれた背景には、こうした要因があったと考えられます。

当時と現代日本に共通していえることは、人々の間に諦念めいた空気があるということです。江戸時代なら、世の中は安定し、平和で、町人の「今日」は「昨日」と同じであり、「明日」も「今日」と同じです。

現代を見れば、いい大学を出て、いい会社に入って順調に年功序列で出世するという社会生活モデルは、もはやありません。今日のがんばりが未来を変えるといった熱みたいなものを感じにくい状況です。

ハード面においても、パソコンやネットが登場しましたが、劇的な社会構造の変化はまだ起きていません。もっとも、以前と比べて人々は、個々の商品、サービスの差異や情報を生み出すことに時間を費やしていくようになりました。

現代日本で、それが最も可視化されたのが、ＡＫＢ48です。

ＡＫＢ48は大きく見れば、同じような女の子が集まったアイドル集団です。集団内の彼女たちの、ちょっとした差異を楽しむ行為に、多くの人が熱をあげています。そして、ＡＫＢ48のみならずＳＫＥ48、ＨＫＴ48……と日本全国に多くの集団が生まれ、その差異を楽しんでいます。

「歴史が終わった」「世の中はもうこれで完成されている」という閉塞感と、外国での出来事に関心がなくなっていく内向き思考は表裏一体です。

いまの日本は、見たくないモノは見ないし、その必要性が感じられない。すでに自己充足してしまっている状態なのです。

ファシズムとナチズムの違い

佐藤　多くの人々は、ファシズムとナチズムを混同しています。

――どう違うんですか？

佐藤　ナチズムというのは「血と土」の神話に基づく荒唐無稽（こうとうむけい）な思想です。アーリア人種は、優秀なんだ。「どうして？」と聞くと、「優秀だから」。それだけの話なんです。

ナチス理論に基づくとアーリア人種はドイツ人に限らない。実は、ノルウェー人やスウェーデン人などもアーリア人種なんです。

ナチスがこういう認識を持ったのは、当時のノルウェーの大統領のキスリングが、ヒトラーの友人だったことも影響を与えています。キスリングはインテリです。ヒトラーは読書家だけど、インテリではありませんでした。

だから、基礎教養がしっかりしていないヒトラーは、所謂（いわゆる）、トンデモ本みたいなのが大好きで、「ユダヤ陰謀説」本をたくさん読んでいるうちに、世界はユダヤに支配されているんだと思い始めてしまった。

その陰謀説をぶち上げたら、世間がそれに乗って、いつの間にか、本人が総統様に成り上がった、という流れなんです。

――なんだかそれって、非常に、怖くないですか？

佐藤　当時のドイツがあれほど、社会的に病んでいなければ、ヒトラーが支配することは無理だったと思います。

そこで、ノルウェーのブレイビク事件について考えてみましょう。

ブレイビク事件とは、二〇一一年七月二十二日に発生したテロ事件です。ブレイビクという男が首都オスロの政府庁舎を爆破して、八名を爆殺したのち、ウトヤ島に移動してカービン銃を乱射、六九人を殺害した、というものです。

ノルウェー政府は精神異常という形だけの処理をしましたが、あの事件が起きる土壌は考えてみればあったのです。

――それは、なんですか？

佐藤　いまでは信じられないことですが、ノルウェーは、第二次世界大戦中、ナチスの親衛隊（ＳＳ）の将校たちを集めて、ノルウェーの金髪女性と結婚させ、優秀なアーリア人を生産する「人間牧場」を作っていました。

前出のキスリング大統領が中心となって、それを進めたのです。

戦後キスリングは、自分はノルウェーの愛国者だと強調しましたが、民衆がそれを許さず、死刑がない国でしたが、その時だけ憲法を改正して、キスリングだけを死刑に処しました。

キスリング処刑後に、また、憲法を元に戻して、死刑廃止にしました。

ちなみに、健康診断、癌検診、さらには禁煙運動を導入したのはナチスです。胚芽(はいが)入りパンを奨励したのもナチスです。

ナチスは健康帝国を作ろうとしていましたから。

――なんでですか？

佐藤　ナチスの思想は生涯現役。現役でなくなり、労働力でなくなった人間は、速やかに死ぬことが期待されました。

なぜ、健康を重視したか？　それは、個人の身体は総統のものだからです。国家のために使う肉体は健康にしておかなければならない。

女性は子を産む。だから、社会に進出せずに家庭にいて、子を育てるのが仕事。避妊は禁止で、子供をできるだけ増やし、東側に入植地を増やし、アーリア人を増やしていく。

とても、シンプルな考え方なんです。

強いものが正義。だから、我々の「群れ」は生き残っていく。これがナチズムです。

「群れ」というところで、ファシズムと共通するところはあります。

しかし、ファシズムは、ナチズムと違って、非常に質的なレベルが高い。

――質ですか？

佐藤　そうです。まず、意外に思われるかもしれませんが、ムッソリーニとヒトラーの会談録は残っているものが少ないのです。

――軍事機密だからですか？

佐藤　いいえ、違います。

まずムッソリーニがドイツ語に堪能で通訳がいらなかった。さらに、フランス語、英語、ギリシャ語、ラテン語に堪能でした。ムッソリーニはニーチェをドイツ語の原文、プラトン、アリストテレスをギリシャ語で読み通すことのできた知識人です。

彼は、マルクス主義者で、もともとイタリア社会党の機関紙「アバンティ！」の編集長だったんです。

——すごい、インテリなんだ!!

佐藤　そんなインテリだから、ムッソリーニはこんな考え方をしました。

資本主義は放っておくと、必ず、格差を生じさせ、絶対的貧困層を作り出す。その階層になったら、自分の力では上に上がれない。家庭も持てず、子供も作れない。作れたとしても、教育の水準が下がる。その結果、労働力の質が低下する。資本主義で、啓蒙を続けていれば、人類が豊かに賢くなっていくというのは「まやかし」である。

だから、社会構造を変えなければならない。でも、共産主義はダメだと。

──えっ、なんでなんですか？　ムッソリーニは、マルクス主義だったんですよね？

佐藤　いや、当初はマルクス主義ですが、のちに考え方を変えました。ムッソリーニはマルクス主義が性善説に基づいていることに対して忌避（きひ）反応を示しました。

──うん？　まだ、よくわかりませんが……。

佐藤　性善説に立つと、共産主義になり、国有化された生産施設で、国民は一生懸命働く。

しかし、そんなことは実際にはあり得ない。人は皆、裏ではサボる。サボる人間が必ず出てくる。

サボる人間が続出すると、生産効率が上がらないから、抑圧政治を始めなくてはならない。また、人間には他者の上にいたいという優越欲があります。共産主義になっても、この優越欲は残るので、みんなが仲良くなり得る社会はできないと考えました。だから、共産主義はダメなんだと。

──なるほど！

佐藤　資本主義でも共産主義でもない第三の道をムッソリーニは模索しました。すなわち、国家が資本家に対して、雇用を確保し、賃金を払えと命令する。それらをやらない時は、そのような資本家を監獄にぶち込む。

そして労働者にはストライキを認めない。働かざる者、食うべからず、というわけです。

しかし、身体障害者は、自分たちの同胞であるから、皆で支え合わなくてはいけない。

こうした概念で、「仲間を束ねる」。イタリア語で、fascio（ファシオ）とは束を意味します。仲間を束ねていくのが、我々のファシズムなんだと。

――人々の束ね方が、ナチズムとファシズムでは、根本的に違いますね。

佐藤　そうです。

さらに人種に関する考え方は、以下のように違います。

イタリア人で、生まれながらのイタリア人はいない。

重要なのは、国家に対して一生懸命やっているかどうか。国家に対して一生懸命やる者が、イタリア人。イタリア人とは、イタリアのために一生懸命やる人を指します。

――なんとも随分、わかりやすいですね。

佐藤　ファシズムでは、ユダヤ人差別をしません。ユダヤ人でもイタリアのために一生懸命やるのならば、イタリア人だと。

さらに、女性に対しての考え方がナチズムとは違います。女性が家に留まるのは、おかしい。女性の力は社会のために最大限活用しないとならない。

そこで行われたのが、婦人参政権の導入。軍では女性を将校に登用。優れた女性の下で男が働くのは当たり前。

国家というものは、利己主義的な存在であり、常に、隣、外の国家から収奪して、食いものにすることを考えている。

だから、戦闘精神を忘れるな。いつでも戦える精神を持っていないと、国家は生き残れない。

こういう形で、社会を作るファシズム運動を始めたんです。

——前半は、とても良い国のように、聞こえますが……。

佐藤　そうですね。ファシズムは、悪の権化のようなレッテルを貼られていますが、世界を見渡せば、かなりの国がファッショ化しているのがわかります。

たとえば、北欧諸国。ゆりかごから墓場までといった高度福祉政策を取る北欧の国々の税金は高いですね。しかし、原理的に自国の国民にとって手厚いだけで、外部を排除しているわけです。そうした手法で北欧諸国は自国民を束ねているともいえます。

アメリカも、オバマ前大統領は、国に対し、二ドル払った者、五ドル、一〇ドル払った者と金額の多寡は関係なく、一生懸命国家に尽くしている人間がアメリカ人という考え方をしていました。「一つのアメリカ」を強調し、二〇一二年の大統領選では再選しました。

共産主義が魅力ある国家体制ではなくなった現在、新自由主義的な流れを克服するために各国はさまざまなファシズムのバリエーションを創り出しているのです。

今回の内容をより深く学ぶための本

『言葉と悲劇』柄谷行人著　講談社（講談社学術文庫）

Point

- 昭和十年代にも「江戸ブーム」があった。「時代小説ブーム」の現代との共通点は「時代の閉塞感」。
- ナチズムは優秀なアーリア人を増やしていくという単純な考え方。
- それに対し、ファシズムは皆で支え合い、仲間を束ねていくという発想。

第八講

この世界はどうやってできたのか

まず「ビッグバン」があって……と考えるのは科学的な説明。知識人ならば、仏教による説明も知っておきましょう。

東洋における「存在論」

――前回、日本は内向き思考になり、世界のことへの関心が薄れ、「江戸時代」のようになっている、そしてもっと目を向けなくてはならない海外の国々で、ファッショ化が進んでいる、というお話でしたが、そもそも、我々は世界というものをどうとらえればよいのでしょうか？

佐藤　世界のとらえ方には、いろいろな考え方があり、欧米の人たちは「国とは？」「世界、宇宙とは？」といった世界の成り立ちに関心が高いですが、私たち日本人の多くは、そうしたことに関心が高くありません。

大きな違いは、「存在論」の有無が挙げられます。でも、あとで述べますが、東洋にも「存在論」に該当する考え方はあるんですよ。

「存在論」の原語は、ドイツ語でOntologie、ラテン語でontologiaです。この言葉はギリシア語で「存在するもの」（存在者）を意味する「オン」（on）と「論理」を意味する「ロゴス」（logos）を結んで、十七世紀初頭ドイツの哲学者ルドルフ・ゴクレニウスによって作られた言葉とされています。

我々が存在するこの世界は、どのようにしてできましたか？

――ビッグバンがあって……。

佐藤　それは、科学的な説明ですね。では、日本にも神話がありますが、その神話的説明だとどうなっていますか？

――高天原（たかまがはら）でイザナギとイザナミが……。

佐藤　そうです。イザナギとイザナミが棒で掻き混ぜて、世界を創りました。これが、キリスト教、ユダヤ教だとどうなりますか？

――「光あれ」です。

佐藤　「光あれ」と神様が言うと、混沌が分かれていく、というのが、「創世記」でしたね。それでは、仏教ではどうでしょう？

仏教が考える世界の成り立ち

――確か、「虚空(こくう)」に風が吹いてきて、その風がぐるぐる回って……と以前、佐藤さんから教えていただきましたが……。ビッグバンといった科学的アプローチの宇宙創成は、聞きかじったことはありますが、「虚空に風が吹いてきて」なんて、教えていただくまでは、そんなに関心がなかったです。

佐藤　そうですね。この「関心がない」というところが、昨今の多くの日本人の考え方の特徴であり、その特徴が顕著になって現れてきたのが、海外など「外部＝世界」への関心の低さなんです。

先に述べましたように、欧米人は、世界の起源やその存在について、とても関心が高いのです。それに比べて仏教的な世界にいる我々は、「存在」について関心が低い。しかも、仏教の世界にも「存在論」に該当するものがあるにもかかわらず、関心が低いのです。

仏教においては、小乗仏教の「阿毘達磨倶舎論(あびだつまくしゃろん)」で、仏教的宇宙観が展開されています。

日本でアビダルマ（阿毘達磨）哲学を継承するのは、法相宗という宗派で、興福寺や薬師寺などがこの宗派です。

アビダルマ。以前に、少しお話ししましたが、仏教の世界で、「宇宙はどうやってできたか」について、『存在の分析〈アビダルマ〉――仏教の思想2』の記述に基づいて、もう一度学んでみましょう。

仏教には、創造主や宇宙の支配者といった概念がありません。仏教は「神」を想定していない無神論です。仏像は神様じゃなくて、真理を知った人間を形にしたものです。

「阿毘達磨倶舎論」では、宇宙は、サットヴァ・カルマンによって生まれました。「サットヴァ」とは、「有情（うじょう）」とか、「衆生（しゅじょう）」などと訳されている単語で、生命を持って存在するもの、あらゆる生き物を意味します。

常識的な順序からいえば、まず自然界の存在が先にありきで、次にそこに生命を持つものが誕生して、その行為・動作が起こると考えるでしょう。

にもかかわらず、「阿毘達磨倶舎論」では逆に生命あるものの行為・動作によって、自然界が生み出されるという考え方です。とすると、自然界の成立に先立って生命あるものが存在し得ると考えなければならないことになります。

——それは、どういうことでしょうか？？？

佐藤　まず世界にあるのは、目に見えない業（ごう）、有情（うじょう）の業＝サットヴァ・カルマンです。その働き、関係性によって、自然界が形成されていくのです。

この自然界は、多数存在します。広大な宇宙空間の中では、我々が存在するいま、この場所が自然界にまだ成立していない時にも、他の場所にはすでに他の多くの自然界が存在していると考えられていました。

こうした仏教思想は、意外に思われるかもしれませんが、我々には、きちんと根付いています。

ライトノベルやＳＦ小説を思い出してみてください。物語の中に必ず異界が存在していませんか。我々の生きる世界とは別のパラレルワールドなるものが存在する、そんな設定が多くないでしょうか。こうした設定が、すんなりとはいわないまでも、我々が受け入れることができるのは、先のような仏教思想の世界観が我々の中に、知らず知らずのうちに染み付いているからにほかなりません。

　宇宙の形成は、「倶舎論」の記述に従えば、まず、広く虚しい空間に、サットヴァ・カルマンの力が働き、どこからともなく微風が吹き起こることから始まります。やがてその風は、空間の中で次第、次第にその密度を増し、ついには円盤状の固い大気の層＝風輪（ふうりん）を形成します。

　この考え方を示したヴァスバンドゥは、大した人なんですよ。飯は他人に食わせてもらって、草庵に籠（こ）もって、宇宙はどうなっているのだろうか、どうしてできたのだろうか、と考えている人でした。

　ところが、その世界観、考え方が余りにも煩雑・複雑になり、誰も理解できなくなってしまいました。そうした過程を経て、大乗仏教が出てきました。

「倶舎論」の記述に従えば、風が吹いてできあがった円盤状の大気の層は、一六〇万ヨージャナにもなります。

――ヨージャナ？　ってなんですか？

佐藤　ヨージャナというのは距離の単位です。

『存在の分析〈アビダルマ〉』によれば、一ヨージャナを八キロメートルとして計算しています。すると、この大気の層の厚さは一二八〇万キロメートルになります。そしてその外周（周囲）はアサンキャとなっています。アサンキャとは無数、つまり無限ということです。

この風が吹いて起こった大気の層の円盤（風輪）の上に、やがて薄い膜ができる。

牛乳を鍋で温めると、上に膜ができる、そんなイメージです。その膜は水の膜で水輪（すいりん）と呼ばれます。その上に金属の膜の金輪（こんりん）ができたのだと、以前お話ししました。

今回ここでは、その水輪、金輪の大きさや、形成されるまでの時間を詳しく見てみましょう。

水輪の厚さは八九六万キロメートル。水輪の水はなぜ零（こぼ）れないかといいますと、周囲を回りつづける風の圧力で外に零れない、という理屈です。

無限に広がる円盤状の大気の層の中心部に、それに比べれば遥かに小さいが、やはり同じ円盤状の水と黄金の層が重なって載っているのです。

水輪の上にできた金輪の表面が大地になります。大地の上に、山、川などが形成されて自然界は完成です。

ここまでの時間は一アンタラ・カルパ。

――アンタラ・カルパ？？？

佐藤　アンタラ・カルパとは時間の単位です。一アンタラ・カルパは一説によれば千五百九十九万八千年といわれています。

それほどの長い年月をかけて形成された自然界に生物が生まれます。天人、天女と呼ばれる神々ですが、彼らもサットヴァの一種に過ぎません。なぜなら、仏教は「絶対神」「超越神」を想定していないからです。

天に天人、天女。地上に、人や動物。地下に地獄の鬼、といった順に形成され、生物界が完成します。

自然界形成から生物界形成までは十九アンタラ・カルパ。全世界の形成は二十アンタラ・カルパかかることになります。約三億二千万年です。

こうしてできあがった世界はそこから二十アンタラ・カルパの間、維持されます。そして二十アンタラ・カルパを過ぎると、滅亡へと向かい始めます。滅亡に向かい始めてから滅亡完了までは創世と同じく二十アンタラ・カルパかかります。創世の逆回しのように地獄、地上、天上と崩壊していき、生物（サットヴァ）のいなくなった自然界に「七つの太陽」が現れ、金輪の上にできた山、川を焼き尽くします。そこに水災によって水輪もなくなり、風災によって「大気の層」も消え、全世界＝宇宙は広大な虚空に帰します。

虚空に帰した世界は二十アンタラ・カルパの間、虚空のままです。この期間を「空無（くうむ）」と呼びます。そして空無の二十アンタラ・カルパが終わるとき、また風が吹いてきて大気の層（風輪）を形成し始め、宇宙創成が再び始まるのです。


整理しますと、世界（自然界・生物界）の形成に二十アンタラ・カルパ。

できた世界の維持・持続に二十アンタラ・カルパ。

世界の滅亡・破滅に二十アンタラ・カルパ。

滅亡後の虚空の世界、空無の時間が二十アンタラ・カルパ。

この周期4×20アンタラ・カルパ＝約一二億八千万年を「倶舎論」では、一マハー・カルパといいます。


インド人は途方もない長い長いスパンで物事を考えていたことが、この考え方からも見て取れます。

――ちなみに、その世界観の中では、二〇二〇年などは、どの過程に入っているんでしょうか？

佐藤　二〇二〇年はこの周期の中のどこに位置しているのかといいますと、世界の滅亡・破滅の二十アンタラ・カルパの期間に位置しています。

――えっ、そうなんですか？　たしかに、明るい話題は少ないですもんね。

佐藤　けれど悲観することはまったくありません。一アンタラ・カルパはなんといっても一五九九万八千年ですから、まだまだです。

破滅の期間は、二十アンタラ・カルパ＝約三億二千万年ですし。もっとも、今年や来年が、その三億二千万年の最後の年かもしれませんよ。世界を見ても、マヤ暦なども二〇一二年の十二月二十一日で終わりですし……。

――わっ、そんな恐ろしいことを……。しかし、こうした世界の創世をしっかりと学んでおけば、欧米の人々とも、哲学の世界で同じ土俵に上がれそうですね。

今回の内容をより深く学ぶための本

『存在の分析〈アビダルマ〉——仏教の思想2』櫻部建・上山春平著　角川書店（角川ソフィア文庫）

Point

- 「存在論」がある欧米の人たちは、日本人に比べ世界の成り立ちに関心が高い。
- 仏教の「阿毘達磨倶舎論」では、業の働き、関係性によって自然界が生み出されたと考える。
- 世界は二十アンタラ・カルパ（三億二千万年）かけて創られ、二十アンタラ・カルパ維持され、二十アンタラ・カルパかけて滅んでいく。

第九講

ナショナリズムについて

――世界に関心を向けるにあたって、ナショナリズムの問題は避けて通れません。ナショナリズムとは、いかにして生まれてきたものでしょうか。――

「ナショナリズム」はエリート階層に上る一番の近道

佐藤　二〇一二年、「竹島問題」で、韓国との信頼関係に大きな軋轢(あつれき)が生じたことがありました。そのときの経緯をふり返ってみましょう。

二〇一二年八月　十　日　韓国の李明博(イミョンバク)大統領（当時）、自国領土とする竹島（韓国側の呼び名は独島(トクト)）上陸。

八月　十七　日　日本の野田佳彦(よしひこ)首相（当時）が、李大統領の上陸に対して、親書を韓国に送る。

八月二十四日　韓国が、その親書を日本に返送する。

八月二十四日　日本の衆議院が、親書返送に抗議するために、社民党、共産党、新党大地・真民主などを除く各党の賛成多数で抗議決議案を採択。

――親書を返送って、韓国はどういうつもりだったんでしょうね？

佐藤　この件に関して、当時の政治家、世論の反応は鈍かったですが、この「親書の返送」という行為は、外交の世界では極めて無礼な行為なんです。戦争直前の状態でもなければ、こんなことはしません。

――大変、まずい行動ではないですか⁉

佐藤　なぜこのような事態に陥ってしまったのか？　国と国との信頼関係はどこへいってしまったのか？　この日韓関係の問題を見ながら、最終的には「信頼」というものについて哲学的に学んでいきたいと思います。

その前に、まずは「ナショナリズム」について、考えてみましょう。このような一件が起こってしまった背景には、双方のナショナリズムが関係しています。「ナショナリズム」とは、国家主義、民族主義、国民主義などと訳されていますが、定義づけの難しい言葉です。『民族とナショナリズム』を著したアーネスト・ゲルナーは、「政治的な単位と文化的あるいは民族的な単位を一致させようとする思想や運動」と定義しています。

そしてこのナショナリズムは、時代の変革期においては、エリート階層に駆け上がる一番の近道なんです。

――「エリート階層」とは、国を動かしたりする権力の中枢にいる人々のことですか？

佐藤　そうです。たとえば、地方議会の議員、都議会議員、区議会議員が、全国紙でインタビューを受け、大きく扱われるという割合は、国会議員と比べて高いでしょうか？　低いでしょうか？　一般的に考えれば、「低い」でしょう。

しかし、尖閣諸島に上陸して帰ってくれば、国会議員でなくともインタビューを受ける可能性は高くなります。尖閣諸島に上陸して、ひと暴れすれば、新聞に取り上げられる。大きなコストも掛けないで、自分の名前を全国に広めることができる。

そこで、「愛国者である！」「日本の領土を守れ！」と声高に叫べば、知名度は上がり、選挙に出れば民意を集めて当選する可能性が出てくる、ということもあり得ます。いわば、エリート階層への入場券を得ることができるんです。

まあ、仮にの話ですが、エリートを官僚と政治家に限定して話せば、青春の多くの時間を、一生懸命、勉強に費やしてきたAくんが官僚になったとします。一方、中学時代のAくんの知り合いで、地元で暴走族をやっていたBくんが、日章旗を尖閣諸島で振り回して、「俺は愛国者だ」と叫んだ結果、全国に名が知れて政治家になり、AくんはBくんの指示、命令を受ける立場になった……。

歴史を振り返ってみても、時代の変革期においては、このようなことが往々にしてあるのです。

——でも、そんなことで民意を集めてエリートの仲間入りって、なんだかおかしくないですか？　民意といえば福島の原発事故以降、原発や政治に関して「民意を問うべきだ！」と盛んに耳にするようになりました。そもそも「民意を問う」って何なんでしょうか？

佐藤　この「民意」というものも、よくよく考えなければいけません。多くの人々は、「民意を問う」の意味を履き違えています。

日本のエネルギー政策の未来を決めるために、原発に依存するのか、原発をなくすのか、それを決めるためには、「民意」が必要なはずです。

——必要でしょうねえ。

佐藤　明らかに、民意が必要な問題です。

では、たとえば大飯（おおい）原発を再稼働させるか、否かについてはどうでしょうか？「民意」は必要だったでしょうか？

――いや、そりゃー、安全かどうか、住民の皆さんが安心しないといけないので、民意を問う必要はあるんじゃないですか？

佐藤　確かにそうかもしれませんが、それはあくまで、心情・感情の問題です。近代民主主義国家が正常に機能しているならば、民意を問うのではなく、専門家の判断に基づいて、再稼働するかどうか、判断することになるはずです。なぜなら高度で専門的な知識がない限り、再稼働するには、どこに問題があるのかわからないからです。

国のエネルギー政策を決めるための原発の是非は民意を問わなければいけませんが、大飯原発の再稼働については、専門家の判断に委ねる問題です。

――なんで、そうなっていないのでしょうか？

佐藤　専門家の判断が、やらせであるとか、歪められているという事案が出てきたからにほかなりません。すると、世間は専門家すら信頼できなくなる。皆、誰が正しいことを言っているのか、判断できなくなっているのです。

近代以前に、国民・民族という概念はなかった

佐藤　さて、「ナショナリズム」の起源には、大きく二つの見解があります。

一つは、ナショナリズムは近代に生じた現象であり、その起源を近代以前にさかのぼって求めることはできないとする考え方。これを「近代主義」あるいは「道具主義」といいます。

もう一つは、近代のナショナリズムを成立させるための起源が、古代より継承されているとする考え方。こちらは「原初主義」といわれます。

「近代主義」の代表的な提唱者に、先に挙げた『民族とナショナリズム』のアーネスト・ゲルナーや、『想像の共同体――ナショナリズムの起源と流行』を著したベネディクト・アンダーソンがいます。

近代主義をとる人は、前近代においては、階級・職業・言語・地理的要因などにより「国民」「民族」は分断されており、包括的な共属感情が存在していなかったと考えます。

――日本でいうと、いつからになるんでしょうか？

佐藤　我々日本人は、日本人であるという感覚を、戦国時代に持っていたでしょうか？　答えは、否です。当時の人々は、織田信長が治める国の人間、武田信玄の治める国の人間、というようにバラバラであり、「日本人である」という感覚は持ち合わせていなかったでしょう。政治的意識は、個々の領主に向けられていたはずです。

明治維新期の戊辰（ぼしん）戦争における会津藩、長州藩などにおいても、彼らは、同じ日本国民、同じ民族であるという感覚は乏しかったと思われます。

近代主義のベネディクト・アンダーソンは、民族（ネーション）とは「想像の政治的共同体（imagined political communities）」と定義しています。それは主権的なものであり、しかも限定的なものです。

――**主権的、限定的とはどういうことですか？**

主権的とは、たとえば、自国の民に対して個々の財産を「税金として出せ」と言ったり、軍隊に対して「お国のために死ね」と言ったり……そうした命令ができる権力です。

また限定的ということは、いくら民族が大きくなっても、世界と一体とはならないということ。仮に中国人が一三億人、一四億人と増えていったとしても、世界全体が七〇億人の一つの民族にはならないわけです。

対して原初主義は、かつて団結してカエサルに抵抗したガリア人などが古代にいたことを例に挙げ、ナショナリズムに類似した現象が近代以前にあり、それが継承されてきたものだとしています。民族は血筋や、地理、経済的な共通性、言語などによって結びついているという、何か民族の根拠となる根源が具体的にある実体主義的な考え方です。

こうした原初主義の方が、民族を定義する上で、一般的かもしれません。我々が日常的にいうところの民族、高校までの教科書に出てくる民族は、原初主義に即しているのではないでしょうか。

ところが、学術的な研究の成果で明らかになっているのは、民族の概念は近代とともに生まれたもので、それ以前はなかった、ということです。先の戦国時代や、明治維新当時の日本人の個々の認識の例からもわかりますね。

それでは、原初主義を提唱する人たちの「団結してカエサルに抵抗したガリア人」といった集団は、やはり民族ではないのか？　そうした疑問も出てくると思います。そのため、近代主義と原初主義の主張を包括的に考え、新しい視座を提唱したのがアントニー・D・スミスです。

彼は『ネイションとエスニシティ』の中で、民族（ネイション）の基盤となる人間集団のことを「エトニ」と名づけました。

――エトニ？？？

「エトニ」とは、フランス語ですが、ギリシャ語起源の言葉で、共通の祖先、歴史、文化を持ち、ある特定の領域との結びつきを持ち、内部で連帯感を持つ、名前を持った人間集団のことです。ただし、必ずしもエトニが民族（ネイション）になるわけではありません。

この集団は、ある状況によって、一つの民族になったり、ならなかったりします。歴史のさまざまな要因に左右され、結びつきを変えていきます。

さらに彼は、「エスニック※なアイデンティティを支えるこうした神話・記憶・象徴がもつ内在的な意味を理解せず、この力を評価しないならば、現代世界における国家と個人との関係を混乱させているエスニックな対立を把握することは、まったく不可能である。」

※エスニック・グループ＝文化を共にする集団で固有の名称を持つ

と述べています。

要するに、民族問題を、経済合理性や人権といった切り口から解明しようとしても、袋小路に入ってしまうので、一定の人間集団が持つ神話、記憶、象徴など、非合理的にも見える現象の内在的論理の解明が不可欠だと、スミスは言いたいのです。

ナショナリズムを鎮めることはできない

佐藤　民族の歴史というのは、たかだか二百数十年前までしかさかのぼれない。それ以前になると、民族という概念はない。これが近代主義です。

しかし、ここでふまえておかなければいけないのは、ゲルナーも、アンダーソンも、広い意味でのマルクス主義の影響を受けて近代主義を提唱している点です。

近代において支配者階級と労働者階級が誕生しました。産業社会の誕生と国民形成の関連性から民族とナショナリズムについて研究しています。

ですから、私は、近代主義という切り口よりも、道具主義の視座で見たほうが、しっくりくるのではないかと思っています。

――道具主義ってなんでしょうか?

佐藤　道具主義とは、

「概念、理論、体系というのは、いかに精巧で首尾一貫していても、仮説と見なければならぬ(中略)。概念、理論、思想体系は、道具である。すべての道具の場合と同じように、その価値は、それ自身のうちにあるのでなく、その使用の結果に現われる作業能力のうちにある」

というアメリカの哲学者ジョン・デューイの考え方です。もちろん道具主義も近代主義の流れに属します。

　産業社会で生まれた資本家たちや、支配する階級が、自分たちの暖かい場所を維持するために、自分たちが国民、民族の代表であるといった形を作ろうと、いろんなイデオロギー操作、イメージ操作を行いました。その結果、エリート層というものが生まれ、さらにそれらの人間が、自分たちの特権を維持するためにナショナリズムという物語（道具）が必要だったのです。

　ナショナリズムが先、ネイションが後なのです。

　ナショナリズムは、支配する階級、エリート層が操作可能である、と考えました。しかし、そうではありません。確かに、民族感情を煽り立てることは容易にできます。

　実際、竹島に韓国大統領が渡り、さらに、日本からの親書を受け取らず送り返してきた。こうした事実を大々的に報道することで、日本のナショナリズムのネジをギリギリと巻いて高揚させることはできます。

　けれども、反対にそれを緩めることはできません。

――ナショナリズムは、行ったら、戻ってこられないってわけですね。

佐藤　ナショナリズムは非対称なんです。

政治エリートたちは、ネジを巻いて、激しい方向には持っていける。しかし、それを緩和させることはなかなかできません。

なぜならば、もし高揚したナショナリズムを緩めようとすると、「あんた、なに、軟弱なことを言ってるんだっ⁉」と国民に言われてしまうからです。

すると、そのまま行くと、戦争になる前に確実に、人が死にます。

たとえば、韓国で慰安婦像や、博物館の前で、「竹島は日本の領土です」とくいを結び付けた右翼系の人々。これらの人が、現地の警察に捕まれば、まだいいですが、韓国の行動的右翼に捕まれば、半殺しにされるかもしれない。

さらに、もし尖閣諸島に旗を掲げて目立った輩が、これはいいと、今度は「おいら、竹島にも行く」っていう行動をとったらどうなりますか？

――韓国の守備隊が実効支配し、常駐する竹島に行けば、それは、射殺されるんじゃないでしょうか？

佐藤　モーターボートで行けば、ミサイル撃ち込まれて撃沈。死者が出ます。

仮に竹島で、日本人が射殺、乗ったボートが撃沈ということが起これば、日本国内では、酔っぱらった日本人酔客が、繁華街の韓国人バーで、韓国人ホステスをぶん殴ることも起こるかもしれません。すると、店の韓国人用心棒が来て、その日本人酔客はボコボコに叩かれて、大ケガをすることだってないとはいえません。

――双方のナショナリズムがよりヒートアップして、後戻りできない状況になりますね。二〇一二年の中国での反日騒擾（そうじょう）の際、中国国内の日本人が外出を控えたような状況が、日本国内にも生まれてしまうのですね。

ナショナリズムは、非対称ということでしたが、双方に偉大なる指導者が現れて、それぞれのナショナリズムを沈静化することはできないのでしょうか？

佐藤　おそらくできません。ナショナリズムのポイントは、特段の「指導者」はいないけれど、そういう「運動」が生まれてくるところにあります。

我々一人一人がその「運動」を作り出しているのです。

マルクス主義の指導者は、マルクスであり、レーニン。

ナチズムだったら、ヒトラー。

ファシズムならば、ムッソリーニ。

では、ナショナリズムの指導者って、誰でしょうか？　過去の歴史の中にいましたか？

――うーん、そう問われると、いないですね。

佐藤　そう、いないんです。

――ナショナリズムには指導者はいない。そして動き出したら、止められないということなんですね。

今回の内容をより深く学ぶための本

『民族とナショナリズム』アーネスト・ゲルナー著／加藤節監訳　岩波書店

『想像の共同体――ナショナリズムの起源と流行』ベネディクト・アンダーソン著／白石隆・白石さや訳　リブロポート

『ネイションとエスニシティ――歴史社会学的考察』アントニー・D・スミス著／巣山靖司・高城和義他訳　名古屋大学出版会

『哲学の改造』ジョン・デューウィ著／清水幾太郎・清水禮子訳　岩波書店（岩波文庫）

Point

・ナショナリズムの起源は古代にありとするのが「原初主義」、近代以前にナショナリズムはなかったとするのが「近代主義」あるいは「道具主義」。

・概念・理論は誰かが自分の都合のいいように作り出すもの、というのが道具主義の視座。

・ナショナリズムを煽り立てることは容易だが、それを沈静化させることは難しい。

第十講

神話に囚われる人たち

竹島の領有権は、韓国人にとってもはや「神話」になっています。「神話」に囚われることを、知識人は避けなければなりません。

竹島問題とは、韓国人にとって「恒真命題」

佐藤　前回は、ナショナリズムや、民族（国民）の誕生について学びましたが、今回は、その民族をまとめるためには神話が有効であることについて、考えてみましょう。

八月十五日は、終戦記念日ですね。韓国では光復節にあたります。日本の植民地支配から解放され、光が回復した日となっています。

タイムマシンに乗って、一九四五年八月十五日のソウルと平壌（ピョンヤン）に行ったと仮定しましょう。そこで、見られる光景はどんな光景でしょうか？

――解放されたわけですから、皆、大喜びで、お祭りとか始まったのではないですか？

佐藤　違います。実際は、玉音放送（ぎょくおんほうそう）を聞いて、皆、泣いていました。

——大日本帝国の臣民、という意識だったわけですか。

佐藤　大日本帝国の外地臣民という意識です。特攻隊としても韓国人が学徒動員で出撃しました。

一部に戦争終結を喜んだ人もいたと思います。ただし、まだ日本軍が現地に残っていますので、日本人の軍人たちから睨まれるかもしれません。目立った動きはできなかったでしょう。

八月十六日になってからようやく、朝鮮半島は解放されるんだという情報が入ってきます。

そこではじめて、解放された喜びを体現していきました。

だから、八月十五日の時点では、韓国人は、大日本帝国の外地臣民として、悲しみにくれて、泣いていたのが実相です。

いまの八月十五日の、光復節の物語はあとづけでできたとも言えるわけです。

こうしたあとづけ感の強い話の一つが、「竹島問題」なのです。

竹島、韓国でいうところの独島(トクト)は、韓国の「国家神話」と強く結びついています。同じような領土問題の北方領土とはかなり状況が異なります。

日本と韓国の間で、竹島は、当初そんなに大きな問題ではなかったんです。

――なんで、こんなに深刻になったんですか？

佐藤　大きな転換となったのは、一九五二年一月十八日に、韓国の大統領・李承晩（イ・スンマン）が、海洋主権宣言を行った時点です。

竹島問題に関しては、川上健三さんが書いた『竹島の歴史地理学的研究』という希少本があります。

日本の竹島に関する理論武装は、基本的にこの本の中で述べられています。川上さんは、私が一九八五年に外務省に入った時、もうリタイヤしていましたが、外務省の中に部屋を持っていました。

もともと、ノンキャリアの外交官でした。北方領土、漁業問題の神様と言われていた人物です。

竹島の問題に関する川上さんの基本的な議論は、その本の最初の二ページ半で、言い尽くされています。

そして解決の方策についても触れられています。本書にある通り、日本は一九五四年九月に「これは領土権の話だから、国際司法裁判所で解決しましょう。仮に国際司法裁判で、いかなる判決が出ても、日本側はすべて受け入れます。その判決が出るまでは、お互いに武力衝突が起きないように暫定的なメカニズムを作りましょう」と提案しましたが、韓国側はすべてを突っぱねてきました。

二〇一二年にも、国際司法裁判所での裁定がもう一度提案されたというわけです。

このように過去も現在も竹島問題は、平行線のままなのです。

韓国人の玄大松（ヒョンデソン）先生による研究『領土ナショナリズムの誕生――「独島／竹島問題」の政治学』にこんな記述があります。

〈「独島／竹島問題」に第三の波が寄せてきた一九九六年、ある韓国世論調査機関の調査に九八・六％の韓国人が「独島は我が領土」と答えた〉

九八・六％の韓国人が、我が領土と答えている。これは余程の変わり者を除いて、国民ほぼ全員ということですね。

そして、玄大松先生の記述の中で前記に続いて、次のようなことも書いてあります。

〈ウィトゲンシュタインは、疑うことなく信じる知識や反対のことが想像できない命題を「文法命題（Grammatical proposition）」と定義したが、まさに韓国人にとって「独島＝韓国の領土」は、「文法命題」であり、常に「真」になる恒真式である〉と。

――ウィトゲンシュタイン？　文法命題？　恒真式？　なんだか、難しくなってきました。

佐藤　順に説明しましょう。ウィトゲンシュタインと出てきましたが、ここでウィトゲンシュタインについて説明しましょう。彼は、オーストリア出身のオーストリア人です。イギリスのケンブリッジで教鞭（きょうべん）を執りました。数学者であり、哲学者であり、言語学者であり、論理学者です。

また大金持ちの家の子供でもありました。

ウィトゲンシュタインは、前期と後期で考え方・主張が変わりました。前期では『論理哲学論考』という本を書いています。

この世には、言葉によって言い表せないものが存在する。それは、言葉によって描写されるのではなく、逆に、言葉によって描写されないというかたちをもって、「示される」のである。したがって、「語りえぬものについては、沈黙せねばならない」と述べています。

つまり、説明できないことについては沈黙しないといけない、というわけです。

さらに「論理というのは、梯子（はしご）を使って一階から二階に上がるようなものだ。そして二階に上がったら、その梯子は蹴っ飛ばして捨ててしまわないといけない。

だから学問というのは一生懸命やる必要があるが、あることがわかったら、わかった時点でそれまでの学問はすべて無駄である」。こういう不思議なことをいっている人でした。

ところが後期、ケンブリッジに迎えられた頃から、『論理哲学論考』での記号論理学中心、言語間普遍論理想定の哲学に対する自らの姿勢を変え、コミュニケーション行為に重点をおいて哲学の再構築に挑みましたが、完結することなく世を去りました。

『論理哲学論考』での記号とか論理ということを全部捨てちゃって、「思想というのは日常言語、普段話している言葉でしか表せない。記号で全部表したり、説明したら、漏れてしまうものがたくさんある」という立場に立ちました。

この影響を強く受けているのが、経済学者のジョン・メイナード・ケインズです。ウィトゲンシュタインはケインズの友だちでした。

だからケインズの『雇用・利子および貨幣の一般理論』を読むと、数式がほとんど使われていない。近代経済学であるにもかかわらずです。

それはどうしてかというと、経済を数字にして数学化してしまうと、そこから漏れてしまう残余の部分は「日常言語」でしか説明できない。

そうすると、英語を母語としない人にとってヨーロッパやアメリカと比べて、イギリスで哲学を学ぶということはとても大変になります。

日本人学生が哲学を勉強したいといってイギリスに留学すると、大体は受け入れてもらえない。どうしてか。

「私は昨日学校へ行った」と、「私は昨日学校に行った」では、「へ」と「に」でどういうふうに意味領域が違うのか。

イギリスの哲学ではこうした研究をしているわけです。

ここでは言語哲学ですから、英語のネイティブでもない限り、哲学を学んでも、ほとんど議論についていけないわけです。ですから、「純粋な哲学ではなくて、哲学史であるとか、宗教学や心理学を勉強したらどうですか？　あなたは英語のネイティブじゃないから」と、薦められてしまいます。

ここで、本題に戻りますが、そのウィトゲンシュタインを例に引いて、玄大松先生は、竹島問題を文法命題といっているわけです。

文法命題というのは、次のように考えると理解しやすいかもしれません。今、我々がこうやって日本語を話しているでしょう。

日本語の文法って、小学校、中学校で少し勉強し、高校でも勉強するけど、大半がしっかり勉強していないでしょう。でも日本語、皆さん話せますよね。自然に頭の中に刷り込まれています。

日本語を話す時、文法的にどうだというのは、日常的に考えてはいないでしょう。つまり日本語の文法に関しては、我々は疑問というのを一切持たないわけです。しかもそれは日本人にしか通用しない。

韓国人にとっては、竹島（独島）が、文法命題になっているというわけです。

玄大松先生は、〈まさに韓国人にとって「独島＝韓国の領土」は、文法命題であり、常に「真」になる恒真式である〉とも書いています。

恒真式とは、恒に真となる論理命題で、これは絶対に当たる天気予報だと思えばわかりやすいでしょう。

たとえば、「明日の天気は晴れか晴れ以外のいずれかです」。この天気予報は絶対に当たりますよね。一〇〇％当たります。でも、天気に関する情報は何も言い表していない。これが恒真式です。別の言い方をすると、トートロジー。同義反復・同語反復表現です。

マルクスの「物神崇拝」――神話に囚われる人間たち

佐藤　さて、一九九六年の調査で、九八・六％の韓国人が、我が領土と答えた同時期、日本で行われた調査では、「竹島を自国の領土とする韓国の主張は妥当か」という質問に、

「いいえ」　　52・6％

「はい」　11・6％
「わからない」　35・8％

こうした結果が出ました。李承晩による海洋主権宣言の時には、ここまで意識の差は、ありませんでした。

しかし、その後、独島神話というのを韓国は作り出しました。それは、現代の韓国人を結束させる根幹の一つになっています。

国家体制の基礎のことを、日本の古い言葉では国体といいます。韓国にとっての国体が、独島なのです。

それに対して、北朝鮮は、独島神話を持っていません。北朝鮮は、白頭山（ペクトウサン）の、金一族の話が神話です。

——民族を建設し一つに結束させるには、神話が必要なんですね。

佐藤　韓国は、その神話を独島という島に結び付けることに成功しました。

だから、日本が独島に対して何か言うと、韓国は、日本に対して天皇を持ち出してきます。日本における天皇と同じ位置に、韓国では独島が存在しているのです。

日本は竹島を領土問題として話している。しかし、韓国は、それは神話に関しての話。

領土問題ではないので当然、話は擦れ違いを繰り返します。しかし、その神話は、人間があとから作り上げた作り話だと検証できるものなんですけれどね。

そんな神話を、あれだけ信じている。

歴史というのは、いろいろなものから作られていることが垣間見えてきます。

神話も、その一つです。

人間が作り出したこういう事柄は、それ自体に人間が囚われてしまうことがあります。これを明確にしたのが、マルクスです。マルクスの「物神崇拝」という考え方です。

その物神崇拝のポイントは、何でしょうか？

それは貨幣です。一万円札を印刷するのに、そのコストは一枚いくらか知っていますか？

――年によって違いますが、確か、一枚二二～二八円くらいです。

佐藤　そうですね。それなのに、なぜ一万円の品物が買えたり、サービスを受けたりすることができるのでしょうか？

もっと言うと、電子マネー。あれはお金自体に製造コストがかかっていません。そこにあるのは電子的な情報だけでしょう。しかし、我々は、それによって欲望を実現できる社会に暮らしています。

近代経済学は、貨幣がどうしてできているのかについてあまり研究していません。

お金というのは、「ありてあるもの」という感覚から出発している。

それに対して、マルクスは、『資本論』の第一巻で、貨幣はどうして生まれたのかという研究をしています。

私が、亜麻布（リネン）をたくさん持っているとします。

そこで、私が、「お茶が欲しい」と思った。その時、お茶を持っている人と、この亜麻布と物々交換したいと思っても、お茶を持っている相手が、私の持っているこの亜麻布を欲しいかどうかはわからない。

だから、皆が、分割可能な貨幣になるように、物を一回、換えないといけない。

貨幣に換えれば、必要なものを、その貨幣の利用に応じて受けられる。貨幣の誕生によって、いまや人と人の関係すら、貨幣が握っているわけです。先の「人間が作り出したこういう事柄は、それ自体に人間が囚われてしまうことがある」になっているわけです。

フランスの経済学者ジャン＝バティスト・セイが提唱した、「セイの法則」というものがあります。「供給はそれ自身の需要を創造する」とする古典派経済学の仮説です。

あらゆる経済活動は物々交換にすぎず、需要と供給が一致しない時は価格調整が行われ、仮に従来より供給が増えても価格が下がるので、ほとんどの場合、需要が増えて需要と供給は一致する。それゆえ、需要を増やすには、供給を増やせばよいということなんですが、でも、それは、必ずしも正しいとは限りません。

需要がないところに、どんどん供給（商品）を増やしても、最終的に必ず売れて貨幣になるとはいえませんね。

しかし、貨幣自体は、それがあれば、欲しい商品は何でも手に入ります。ここに、非対称性が見られます。

貨幣の誕生により、時に人はお金のために殺し合いもします。

このように人々が理性を失い、貨幣に囚われる姿を見て、物神崇拝だと、マルクスは言いました。

知識人は「本物」になってはいけない

佐藤　この物神崇拝は、何もお金だけに限りません。

――他に何があるのですか？

佐藤　竹島しかり、AKB48にも、物神崇拝の精神が見てとれます。人間には、いわば、こうした神様を作り出す力がある。そうしたことを冷静に見ないといけません。

AKB48のファンからすると、AKB48を罵倒したり、メンバーの誰かについて可愛くないと語るような輩（やから）は許せないはずですよね。

仮に国民全員が、AKB48のファンになっている状態を想像してみてください。そこに、海外からＡＫＢ48に対する批判の声が上がったら……。

――そりゃ、国家として、その反ＡＫＢ48を叩く行動に出ますね。

佐藤　国家として、ＡＫＢ48神話が、できている状態です。

――その神話に対して、「それは、作り話ですよ」なんて、絶対に言えないですね。

佐藤　そのＡＫＢ48を支えるために、ＣＤを一〇〇枚単位で買うファンたちが、大勢います。

――アルバムならば、一枚三〇〇〇円しますもんね。

佐藤　一〇〇枚買えば、三〇万円。一万円札が三〇枚です。月給、もしくは賞与をすべてつぎ込む人が大勢います。ちょっと常軌を逸した熱狂振りではないでしょうか。

同じように、竹島も、そのために命を失ってもいいという韓国人がたくさんいます。

――神話を守るためには、命をかけるでしょうね。

佐藤　我々、日本にもいろいろな神話があります。

だから、真の知識人たる者は、いつの時代も「本物」になってはいけません。「本物」になって、「竹島は我が国固有の領土である」となって「討つべし」となったり、命がけで、竹島に上陸して、「日の丸を掲げてやる」、そうなってはいけないのです。

常に物事を冷静に見る目を養わなくてはいけないのです。

今回の内容をより深く学ぶための本

『竹島の歴史地理学的研究』川上健三著　古今書院

『領土ナショナリズムの誕生――「独島／竹島問題」の政治学』玄大松著　ミネルヴァ書房

『論理哲学論考』ウィトゲンシュタイン著／野矢茂樹訳　岩波書店（岩波文庫）

Point

- 韓国人にとって竹島問題とは、母国語の文法のように疑問を一切持たない文法命題である。
- 人間の作り出した神話に、人間が囚われてしまう「物神崇拝」。そのポイントになるものは貨幣。
- 日本にもさまざまな神話がある。知識人は、常に物事を冷静に見る目を養わなくてはならない。

第十一講

信頼の研究

竹島問題において、韓国は日本を信頼していないようですが、では信頼とは、どのようにして生まれるものなのでしょうか。哲学に基づいて考えます。

信頼と時間

佐藤　今回は「信頼」ということについて学んでいきましょう。

そもそも「信頼」とはなんでしょうか?

今日、私はこうして講座のゲストとして事前に連絡いただいた時間に、この教室に来ました。でも、ここに来なかったかもしれない。別段取り立てて、契約書を交わしたわけではありませんね。

にもかかわらず、皆さんは、この教室で私を待ってくれていました。どうしてですか?

——それは、佐藤さんが、この時間に来てくれると思っていたからです。そういう前提というか、まさに「佐藤さんは来てくれる」と信頼しているからです。

佐藤　では、私を信頼する根拠はなんですか？

――いや、それはだって、佐藤さんと私のこれまでの関係や、これまでの付き合いの中から……。

佐藤　はいっ、ストップ！　いま言葉にした「これまでの」がポイントです。「これまでの」という部分に「時間」の概念がすでに入ってきていますね。

――時間？

佐藤　「これまでの」という過去という時間の概念。また、ある人物を信頼するという行為は、信頼を寄せたその人物が、将来にわたり自分に対して有益である、そうした未来を念頭においているのです。その目的に即した、合致した特定の人物に対して、人は特別な思い入れをします。

つまり「信頼」と「時間」は密接な関係を持っています。「時間」に関しては、大きく分けて三つです。過去、現在、未来の三つです。

――なるほど。その三つのどこに重心をおくかで、大きな違いが出てきそうですね。

佐藤　木村敏（びん）さんの書かれた『時間と自己』という新書が参考になると思いま

す。小説家、物理学者、数学者で大きな業績を残す人々は、基本的に「未来」に重心をおいていますね。
対して官僚などは、「過去」に重心をおいています。

——確かに、前例がない、事例がない、以前はどうだったか、など全部過去ですね。

佐藤　官僚の中でも、とても几帳面な人に見られるケースですが、過去の自分の仕事が現在において、その成果なり結果が芳しくないと、「ああ、なんであんなことしてしまったのか?」「ああ、なんて取り返しのつかないことしてしまったのだろう……」といつまでも過去に囚われてしまって、今に集中することや、未来に目を向けることができなくなってしまっているケースが見受けられます。そんな人が官僚には多いのです。

——そんな人たちが携わる国政って大丈夫なのでしょうか?

佐藤　大丈夫じゃありません。

——最近の政治に対する国民の信頼は低いですよね。よくニュースとかで、政治家をバカにしたりするような発言をする人たちも見かけますが……。

佐藤　確かに、テレビニュースなどの街頭インタビューで、よく自国の政治家をバカにしたような発言をする人がいますが、政治家の水準が、その国の国民の平均的な水準から著しく乖離(かいり)することはありません。

いまの日本の政治の現実を見れば、日本の社会や国民が、どういう病気に罹(かか)っているか、よくわかります。政治家は国民水準を映し出す鏡みたいなものなのです。

さて、政治の世界では、「信頼」がとても重要な要素になります。こいつは信頼できる、あいつは信頼できない、といった判断を常に求められます。そこを見誤ると、その政治家の死活問題に直結します。

多くの政治家は、次の選挙のために、いつも走り回っています。酒を飲んだり、あちこちの集まり、冠婚葬祭に顔を出したりしては、人間関係を作っています。そうしたことに時間を割くわけですから、細かなあれこれを勉強したりする時間的な余裕がないのが実情です。

嘘をついても信頼が失われないケース

――政治家がそんなに忙しいのなら、国の統治なんておぼつかないのではないでしょうか？

佐藤　その手法がニクラス・ルーマンの『信頼――社会的な複雑性の縮減メカニズム』に著されています。

ここでは、アメリカの連邦予算の作成における、連邦議会の議員と、その行政府の職員（官僚）の関係を挙げて説明しています。

アメリカの国家行政の現実は非常に複雑で、一人の議員がそのすべてを把握することはできない。議員は行政の細部を統括している行政官（官僚・公務員）を信頼して任せることにより、国政を進めている、というようなことが述べられています。大ぐくりで見れば日本の場合も同じ形態です。政治家は、官僚を信頼できるか否かを判断し、間接的に国政を進めているのです。

ルーマンはさらに、政治家は、その信頼していた官僚に、ちょっとでも不誠実な徴候が見られると、信頼するのをやめたり、非常に感情的な行動に出たりすると述べています。

日本でも政治家が官僚に対して「俺は聞いていない！」「なに嘘をついているんだ！」と烈火のごとく怒るケースがよく見受けられますが、まさにルーマンの指摘の通りだと思います。でも、ルーマンは、「嘘をつく」ことを否定はしていません。

――えっ、嘘ついたら、それこそ信頼を失ってしまいませんか？

佐藤　Aさんは嘘をついてもCさんからは信頼されている。Bさんは、嘘をついているつもりはないのに、いつもCさんから誤解されたり、怒られたりする。Aさんと Cさん、Bさんと Cさん、彼らの間にどんな関係があるのでしょうか。

Cさんと Bさんの間に信頼関係は存在しません。

Cさんと Aさんの間には、信頼関係が存在しています。

仮に Aさんに裏切られたとしても、Cさんは、Aさんには何か嘘をつかなくてはならない特別の事情があったのだろうと好意的に解釈し、Aさんへの信頼は変わらないことがよくあります。これは、Aさんを信頼してしまった自身の評価が低下することを、Cさんが恐れているのです。心理的に自己防衛の動きが起きているのです。

だから、CさんとAさんの信頼関係には、ある程度の幅が存在しています。些細なことまでいちいち気にしていたら、CさんとAさんの信頼関係は成り立ちません。

――幅があるにしても、信頼が保たれるか、崩れるかの境界線みたいなものって、どこかに引かれているんですかね？

佐藤　その線がどこにあるかは、その人間同士の社会の文化、その時の状況、過去の積み重ねなどで、変わってくるでしょう。

いくら信頼し合った仲でも、その線を越えた場合は、当然、信頼の構造は崩れます。

政治家と官僚の間では、この線を越えること以外に、信頼関係の崩れる場合があります。

――どんな場合ですか？

佐藤　政治家が勉強して、信頼している官僚の専門分野についての知識に詳しくなる時です。政治家が、その分野の知識を身につければつけるほど、官僚は不要になります。これまであった信頼関係は必要なくなります。

流れを整理すると次のようになります。

政治家が、「この人は、私の知らないことを知っているから任せよう、信頼しよう」と官僚に頼る。この時、この官僚に裏切られるかもしれないというリスクが生じるが、政治家はそのリスクも含んだ上で、その官僚を信頼する。

しかし、政治家がその官僚の専門分野に精通すればするほど、当初信頼されていたその官僚は、必要なくなる。政治家が政治を進めるにあたって、実行役はもはや、官僚でなくてもよいという状況が生じてくるわけです。

——この政治家と官僚の信頼関係は、我々の日常生活にも当てはめられそうですね。

佐藤　一概にそうともいえません。

信頼には、さまざまなかたちが存在するのです。ルーマンもさまざまな信頼が存在し、それらをすべてイコールでつなぐことはできないと述べています。

——さまざまな信頼？　信頼は、信頼ではないのですか？　信頼は一つではないのですか？

佐藤　Dはいい飲み友だちで、信頼しているけれど、通訳を頼むとなったらDの語学力では心配だ。Fは情報収集能力に長けているが、文章力はいま一つなので、文章は別の人間にお願いしたい。

戦略的な信頼、打算的な信頼、仕事上での信頼と日常生活での個人的な信頼、さらには信頼のレベルにも応じて、さまざまな信頼があり、一つにはできないのです。

——なるほど。

佐藤　ルーマンは、最後にこう締めくくります。「信頼は、世界を成り立たせている唯一の基盤ではない。けれども、かなり複雑な社会が成立しなければ、高度に複雑でしかも構造化された世界を表象することはできないし、また信頼が存在しなければ、高度に複雑な社会を構成することはできないのである」と。

私は、この結論に完全に賛成です。

いまの日本社会は、社会的な信頼のレベルが落ちています。政治の世界、学問の世界でも。それ以前の学校のいじめ問題においても、昨今の報道から明らかなように信頼のレベルの低下は見て取れます。

　このような国内的な問題は、必ず外交関係に反映していきます。

　韓国を見るとわかりやすいかもしれません。韓国は、徹底的な新自由主義政策を推進してきました。株主の多くは外国人で、韓国の利益の相当な部分を外国人に持って行かれています。そんな状況の中で、独楽鼠（こまねずみ）のように韓国人は働いています。

　そのうえ、徹底した競争社会です。子供をエリートにするには、早くからバイリンガルにしなければならないので、お父さんはソウルに残って、お母さんと息子がアメリカに留学している。そんなことが常態化しているのです。

――そんなんじゃ、競争、競争で人間関係はいつもギクシャクしていて、信頼関係なんて、生まれにくいですね。

佐藤　そうです。ある限定的な空間の中で競争する。一位になった者が、賞品を総取りというのが新自由主義のゲームのルールです。

　学校での学力競争、企業内部の出世競争、すべてでそうなったら、そこで信頼は育ちますか。

本来、信頼を育むはずの空間が、相手を裏切ってでも勝ち抜いていく空間へとなっているわけです。

これは、賭博の世界です。

この賭博世界が全社会に拡大したら、社会の信頼レベルは著しく落ちるでしょう。

外交の世界にこれが反映されると、相手を信頼できなくなってしまいます。

韓国大統領が、日本からの親書をなぜ受け取らなかったのか？

その親書には、「竹島」という文言が必ずある。その文言がある文書を受け取ったら、竹島に領土問題があることを認めたと日本にとられるのではないか？

不信の原理が働いているのです。

信頼関係を、ときには過剰に消費する

――それを払拭するのは、とても大変なことではないでしょうか？

佐藤　そのためには、信頼はどのように生まれてきているのか？　生まれた信頼をどのように構築していくのか？　それを考えていかなければなりません。

皆で生活する社会の中で、構築された信頼を、ある時は過剰に消費してみる。

「あいつ、ちょっと不安だけど、信じてみるか」

とか、

「何か嘘をついているようだが、これくらいだったら、許してやるか」

といった事柄を積み重ねることで、信頼の閾値（いきち）が強く、広くなっていきます。

それによって、システムが強固になってくる。

これこそが、ニクラス・ルーマンの述べている「信頼の作り方」につながるのです。

――我々は、どうしたら、いいんでしょうか？　相手を許す気持ちですか？

佐藤　それも重要ですし、何よりまず、自分の目に入る範囲、手に触れられる範囲、といった具体的な所から信頼を強化する作業をしなければならないでしょう。

――国の問題、国家間の問題を変えていくための信頼関係は、まずは自分の隣か

ら、ということですね。

今回の内容をより深く学ぶための本

『時間と自己』木村敏著　中央公論新社（中公新書）
『職業としての政治』マックス・ヴェーバー著／脇圭平訳　岩波書店（岩波文庫）
『信頼――社会的な複雑性の縮減メカニズム』ニクラス・ルーマン著／大庭健・正村俊之訳　勁草書房

Point

- 信頼と時間には密接な関係がある。たとえば官僚などは、「過去」に重心をおいている。
- 自分への評価が低下することを恐れて、仮に嘘をつかれても信頼関係を継続させようとする心理作用がある。
- 構築された信頼関係を、ときには過剰に消費することで、信頼の閾値が強く、広くなる。

第十二講

キリスト教を知らない日本人

——キリスト教関係の報道を見ると的外れな面も散見されます。日本人はキリスト教についてきちんと知らされていないのではないでしょうか。

教皇の不可謬性

佐藤　二〇一三年二月二十八日にローマ教皇のベネディクト十六世が生前退位しました。コンクラーベの結果、三月十三日に新教皇、フランシスコが選ばれました。この一連のニュースに関して、日本の報道はいささか的外れな点が多かったと思います。

——ああ、あのベネディクト十六世が高齢を理由に自分から退位を言い出した、という一件ですね？

佐藤　そうです。日本人は本当の意味でキリスト教を理解していないのかもしれません。

まず日本のメディアには、「ローマ教皇」や「ローマ法王」というふうに表記が混在している点が挙げられます。

この件に関しては、日本のカトリック中央協議会によれば教会では「ローマ教皇」を使う、と明言しています。

以前は、混用されていたのですが、一九八一年二月のヨハネ・パウロ二世の来日を機会に、「ローマ教皇」に統一するようになったそうです。

でも駐日バチカン大使館は「ローマ法王庁大使館」と表記されています。これは、日本とバチカン（ローマ法王庁、つまりローマ教皇庁）が外交関係を樹立した当時の定訳が「法王」だったためです。ローマ教皇庁がその名称で日本政府に申請した結果、「法王庁大使館」になりました。

二〇一九年十一月にローマ教皇フランシスコが訪日する直前に外務省はローマ教皇という名称を用いるようになり、それからはマスメディアでも教皇と表記されるようになりました。ところで、カトリック教会を理解する上で重要なのが不可謬性（ふかびゅうせい）という教義です。

――不可謬性???

佐藤　不可謬性とは、カトリック教会において、ローマ教皇が、「信仰および道徳に関する事柄について教皇座から厳（おごそ）かに宣言する場合、その決定は聖霊の導きに基づくものとなるため、正しく決して誤りえない」という教義のことです。これに関して、私の恩師である藤代泰三先生は『キリスト教史』の中で触れています。

教皇が教皇の座から（ex cathedra）、いいかえれば、全キリスト教徒の牧者や、教師として最高の使徒的権威に立って、教会によって守られるべき信仰または道徳に関する教理を定義する時、ペテロにおいて教皇に約束された神の助力によって、彼は不可謬性を付与されているというのである。

ペトロ（ペテロ）というのは、新約聖書に登場するキリストに従った使徒の一人です。カトリック教会では、ペトロを初代のローマ教皇と見なします。キリストから「天の国の鍵」を受け取ったペトロに権威が与えられ、その権威をローマ教皇が継承し続けているのです。こうした権威を持つがゆえに、ローマ教皇は不可謬性を有し、「その決定は聖霊の導きに基づくものとなるため、正しく決して誤りえない」わけですが、これは、ローマ教皇がすべての事柄において正しい、ということではありません。

——なにか除外項目でもあるのでしょうか？

佐藤　ローマ教皇の不可謬性は、信仰と道徳に関する事柄に限定されます。しかし、ポイントとなるのは、道徳には社会倫理に属する事柄が含まれる点です。

——社会倫理？

佐藤　たとえば避妊とか同性愛ですね。これらは、禁止されています。こうした事柄は、社会政策、政治問題に発展するでしょ？

——しそうですね。ということは、時代によっては正しくなかったことが、正しくなってしまったり……。

佐藤　だから、教皇は正しいと言いつつも、「謬説表」なるものが存在します。

——謬説表？？？

佐藤　「謬説表」もしくは「誤謬表」、正式には「近代主義者の謬説表——ピオ九世の数多くの訓話、回勅、書簡による大勅書」と呼ばれます。まあ、但し書きのリストみたいなものですね。そうしたものが存在したのです。

厄介なことに、ときどき項目が変わります。

昔は、政教分離、合理主義も禁止されていました。また、聖書の翻訳・出版をし、安価で配布するために設立された「聖書協会」なども禁止されていました。

聖書はラテン語で神父の指導に従って読まないといけない、間違って読むと異端となります。現代語に翻訳するのはもってのほかである、という具合です。

また、日本ハリストス正教会（ギリシャ正教、ロシア正教会の流れを汲む）も、旧約聖書はまだ、日本語に翻訳していません。訓練を受けてない人は勝手に聖書を読むべきではないというのが、カトリック教会と正教会の考え方です。

それに対して、プロテスタントは、聖書は誰もが読んだほうがいいという立場です。

――キリスト教、難しいです。

五九八年前の生前退位

佐藤　さて、ベネディクト十六世の生前退位に話を戻しますと、教皇の退位は五九八年ぶりのことです。バチカンの公式見解を伝える日刊紙「オッセルバトーレ・ロマーノ」には、次のように書かれています。

教皇の生前退位の決断理由は、二〇一二年三月、メキシコ、キューバを外遊した時に、体力の衰えを感じたことだった。

二〇〇七年、ドイツ人ジャーナリストのインタビューに教皇は、

「力が衰えたら退位すべきだ」

と語っている。

ベネディクト十六世は、前教皇ヨハネ・パウロ二世の高齢での衰えを側近として目の当たりにしたこともあって、存命中の退位表明が念頭にあった。

教皇が生前に退位するのは、一四一五年のグレゴリウス十二世以来です。なんとその時は、ローマ教皇が三人いました。

——えっ！　そんなことってアリなんですか？

佐藤　今のフランスのアヴィニョンにベネディクトゥス十三世。

今のイタリア（当時はヴェネツィア共和国）のヴェネツィアにグレゴリウス十二

世。そして、クレタ島出身のアレクサンデル五世。でもこの人は、教皇になって急逝したのでそのあとを継いだヨハネス二十三世、と三人の教皇がいました。

三人の教皇が鼎立(ていりつ)していたこの時代に、ボヘミア（現在のチェコ共和国）にヤン・フスが現れます。

フスの主張を簡潔にまとめると次のようになります。

「教皇が三人いる。彼らの日常的な活動を見てみなさい。彼らは蓄財し、卑猥なことをして、飲み食いだけをしている。

そんな彼らが、神の利益を代表している教皇とは、とうてい思えない。常識的におかしいと思えることは、神学的に見てもおかしくて当然だ」

――三人の権力者にたてついたわけですね。一体そのフスって何者なんですか？

佐藤　インテリで、チェコのプラハ大学（現カレル大学）の学長です。

非常に慎ましい生活を送り、女性スキャンダルもなかった人なんです。

――その清廉潔白の大学の学長が、ローマ教会と喧嘩を始めちゃったんですね？

佐藤　そうです。

そのフスは、「聖書をなぜ、わかる言葉で語らないのだ。なぜラテン語なんだ」

と自分でチェコ語に翻訳し、説教を始めました。
ところが、ローマ教会から横やりが入るわけです。「なに勝手に翻訳しているんだ」と。

頭にきたフスは、「三人もいるローマ教皇が教会の長だ？　そんなわけがない。長は、イエス・キリストだ！」とさらにヒートアップしていくのです。

——あれ、聖書はラテン語で神父の指導に従って読まないと、異端になるんじゃなかったでしたっけ？

佐藤　ところが、フスは聖書から次の話を引っ張ってきて対抗します。

イエスは言っているではないか、と。

「この畑には良い麦と毒麦がある。最初はどれだかわからないが、育ってくるとわかる。しかし、根っこがつながっているので、毒麦を抜くと良い麦も抜けてしまう。だから、収穫してから、仕分けて、毒麦は火に入れよ」

フスは、今の教会に毒麦が生育している。神が見なければわからないが、少なくとも今のローマ教皇は毒麦に属する可能性が高い。だから、あの連中とは付き合わない方がいいと言い放ったのです。

フスと同じ主張を、百年前に、オックスフォード大学のジョン・ウィクリフが提唱していました。そのため、フスはウィクリフテン（ウィクリフ主義者）と呼ばれました。

——その時代、教皇にたてついた異端は火あぶりで処刑ですよね？

佐藤　「フス先生、我々は、あなたの話が聴きたい」と、フスはコンスタンツの教会に呼ばれます。

——ああ、もう完全に、呼ばれて火あぶりの刑になるパターンじゃないですか。そんな呼び出しに、のこのこ出て行ったんですか？

佐藤　当然フスも、捕まって殺されるんじゃないかと警戒しました。しかし、教皇サイドが「絶対にそんなことはしない」と、安導券を彼に出しました。

——安導券？

佐藤　安導券というのは、戦時中に、病院船などに対して、「どんなことがあっても攻撃せず、絶対に皆さんの身柄、安全を保障します」という券です。

そのようなわけで、安心したフスはコンスタンツに向かったのですが、到着後、すぐに捕らえられました。

——ええっ、ひどい話じゃないですか。教皇たちは、嘘をついたのですか？

佐藤　教皇たちは言います。「約束はしたが、その約束を守るとまでは約束しなかった」と。

——ひっでぇー話ですな。恐怖のボッタクリバー方式。「入場無料、出口有料」。

（『人たらしの流儀』ＰＨＰ文庫、二〇一三年、１０５頁参照）。

佐藤　捕らえられたフスは、拷問にかけられ、尋問が始まります。

尋問官にフスは、

「私の言っていることのどこが間違っているのか、聖書に照らして明らかにしてください。それで、非があるなら、認めますし、火あぶりもやぶさかではない」

と訴えます。

すると尋問官は、

「何が聖書だ。聖書より教会の伝統の方が重要だ」

と応えました。

現在でもカトリック教会は、聖書と伝統の二本柱です。

一方プロテスタントは、聖書のみの一本柱です。

このフスの流れが後のプロテスタントとなり、宗教改革を始めたルターに影響を与えていくのです。

やがて、フスは究極の最終選択を迫られることになります。

「お前の死刑は決まった。しかし、やり方で譲歩してやる。罪を認めれば、首吊りにしてから、火あぶり。認めなければ、とろ火で時間をかけて苦しめて殺してやる、どちらか選べ！」

――あっさり一瞬で死ぬか、徐々に死ぬか、自分で選べ、でありますか？

佐藤　そうです。するとフスは、こう応えます。

「何度も繰り返しますが、私の言っていることが間違っているのならば、どこが間違いなのか、聖書でお示しください。そうすれば納得します」

それで、結局、とろ火で処刑されることになりました。

最後にフスは、こう言い残します。

「この人たちを許してやって下さい。自分たちが何をやっているか、わからないのです」

フス処刑の報せがボヘミアに伝わると、大反乱が起こりました。教会の有力者が塔から投げ落とされました。

教会が、フスが言及していたウィクリフの論理を調べてみたら、かなり筋が通っていることがわかりました。ウィクリフがいたから、フスみたいなのが現れたのだ、ウィクリフ許せん、となったのです。

——えっ、でもそのウィクリフ、フスの百年ぐらい前に死んでいますよね。いまさらどうしようもないじゃないですか。

佐藤　ウィクリフは、もうこの世にいません。だから、教会は彼を事後破門にして、彼の墓を掘り返し、遺骨を焼いて、灰を川に流させました。

——どうしてそこまでする必要があるのか理解できませんが、復活しないように万全を期したということでしょうか。

佐藤　そうです。復活させないためです。そして、イギリスにあったウィクリフの文書もすべて焼き払いました。ところが、ウィクリフの文書はチェコのプラハに残されていて、復元されています。

——それで、三人の教皇たちは、どうなったんですか？

佐藤　やはり、教皇が三人もいるのは問題があるし、誰か一人を残してもしがらみが残る。だから、三人とも一旦解任、という方法を取りました。

――おお、ようやく生前退位が出てきましたね。

佐藤　その二年後に新しい教皇マルティヌス五世が選出されました。その後五九六年経って、今回の生前退位が行われたのです。

――生前退位の歴史を知ると、単に高齢になったので、辞めますぐらいの軽いものではないことがわかりますね。

佐藤　実は、今回の一件、バチカンの世界戦略なんですが、そのように報じる日本の記者はいません。

――バチカンの世界戦略ですか？

佐藤　はい、それについては、また次回お話しします。

今回の内容をより深く学ぶための本

『キリスト教史』藤代泰三著　講談社（講談社学術文庫）
『ふしぎなキリスト教』橋爪大三郎・大澤真幸著　講談社（講談社現代新書）
『同志社大学神学部』佐藤優著　光文社（光文社新書）

・日本のメディアでは「ローマ教皇」と「ローマ法王」が混在しているが、「ローマ教皇」が正しい。

・カトリックでは訓練を受けていない人は勝手に聖書を読むべきではないとするが、プロテスタントは誰でも読んだほうがいいとする。

・五九六年前の生前退位では三人が鼎立。教皇が三人いることを非難したヤン・フスは火あぶりにされた。

第十三講　バチカンの世界戦略

なぜベネディクト十六世は生前退位したのでしょうか。その背景には、非常に長いスパンでの対イスラム過激派戦略がありました。

教皇は「会長兼社長」のようなもの

佐藤　前回、二〇一三年二月二十八日のローマ教皇ベネディクト十六世の生前退位は、バチカンの世界戦略であると述べましたが、今回は、そのバチカンの世界戦略について説明します。

一九五八年にヨハネス二十三世が教皇に就きます。前回お話しした十五世紀、三人の教皇が鼎立していた対立教皇と名前は同じですが、別の人物です。このヨハネス二十三世は、たいへんな改革派で、第二バチカン公会議を開催しました。史上はじめて世界の五大陸から参加者が集まった第二バチカン公会議は、以後の教会の改革の起点となった公会議です。

その公会議で、イスラム、プロテスタント、宗教を信じない人、共産主義と対話していこうという「対話路線」へと舵が切られました。

　しかし、この対話路線が再び大きく変更されたのが、一九七八年、ポーランド人のヨハネ・パウロ二世が教皇に就いた時です。東欧社会主義国からの初の教皇ということで、大いに話題になりました。彼は、共産主義とは対決して、共産主義をたたきつぶしていく方針をとります。それを理論的に支えたのが、一三年生前退位したヨーゼフ・ラッツィンガー（ベネディクト十六世）だったのです。
　私が当時、同志社大学にて教えを受けていた緒方純雄教授は、対話路線の変更についてカトリック教会の内部で大変なことが起きている、と言っていました。

——どんなことが起きていたのですか？

佐藤　教皇不可謬（ふかびゅう）説に疑義を呈したテュービンゲン大学カトリック神学部のハンス・キュンク教授が、教理聖省で聴聞を受けたのです。

——教理聖省ってなんですか？

佐藤　昔の異端審問所です。

——異端審問所？？？

佐藤　中世では、ある人物が異端であるか否かを、魔女裁判にかけていました。それが、今、教理聖省と呼ばれているのです。先のキュンク教授を聴聞し、のちに教理聖省の長官、そして教皇となったのが、二〇一三年生前退位したベネディクト十六世です。

——おっ、**人物がつながってきましたね。聴聞の結果はどうだったのですか？**

佐藤　有罪です。キュンク教授の説は、教会の規範的な教えに則していないという結論が出ました。

この結果について緒方先生は、カトリック教会が共産圏での勢力の巻き返しを目論（もくろ）んでいるのだと教えてくれました。そのためには、教会の指示命令系統を明確にしなくてはならない。だから、教皇の無謬性に疑義を呈するキュンク教授を有罪とした。ヨハネス二十三世の改革路線を軌道修正しようとしているのだ、と。

こうしてバチカンは、強大な権限を持つようになっていきます。

バチカンの教皇は、言うなれば、代表権を持っている〝会長兼社長〟のようなものです。そして、〝執行役員〟ともいうべき枢機卿（すうききょう）は、次の会長兼社長を選出する人事権だけを持っている。でも、それを行使できるのは、会長兼社長である教皇が変わる時だけなのです。

そうすると、代表権を持っている唯一無二のトップが、老いて高齢となり、体力が衰えると、その衰えはそのまま、組織の衰えとイコールになってしまいます。

――だから生前退位だったのですね。

テロを対話で封じ込める戦略

佐藤　ベネディクト十六世（ラッツィンガー）は、何を考えていたのか。彼は、二〇〇六年九月に、イスラム教のジハード（聖戦）を批判しています。

個人的な発言ではなく、バチカンの世界戦略の一環として。

――キリスト教はイスラム教に、何をしようとしているのですか？

佐藤　台頭するイスラム教を封じ込めて、カトリックが巻き返そうとしているのです。

バチカンの世界戦略の第一段階は、ヨハネ・パウロ二世のとき、共産主義体制を崩壊させることでした。この戦略は一九九一年のソ連崩壊で、思ったより早く実現しました。

次はイスラムに対してです。キリスト教が巻き返すには、健康な教皇が中心となり、戦略を立て、実行していかなければなりません。そのため、異例の生前退位となったわけです。次の教皇（アルゼンチン共和国出身）が、地球のどこの出身であろうと、路線は同じです。こう考える根拠が文献にあります。

『ポスト世俗化時代の哲学と宗教』。二〇〇四年四月十九日、ミュンヘンで行われた、現代を代表する哲学者ユルゲン・ハーバーマスと、当時枢機卿であった前ローマ教皇ベネディクト十六世（ヨーゼフ・ラッツィンガー）との討論会をまとめたものです。

大まかにまとめますと、これまで接点のなかった二人を接近させたのは、アルカイダをはじめとしたイスラム過激派の台頭です。

近年の不安の種は、世界大戦のような大きな戦争ではなく、いつどこで襲ってくるかわからないテロであると、二人は語り合っています。しかもテロが、力なき抑圧された民族からの、強者の傲慢に対する答え＝正義の刑罰、となっていることを問題視しています。さらに二人はこうした人類の新たな病を〝内部から封じ込める〟にはどうしたらよいかを話し合いました。この内部から封じ込める、というのがポイントです。

――諸侯を集めて十字軍結成して、どこかに攻め込むという戦争じゃないわけですね？

佐藤　ベネディクト十六世（ラッツィンガー）は、欧米における神様を信じていない世俗的合理主義者と連帯して、アルカイダのようなイスラム過激派を封じ込めないとならないと言っています。

だから、無神論者のハーバーマスとの討論会を持ったのです。もっとも、ハーバーマス自身も、イランの首都テヘランは今、ナチスが台頭してきたワイマール共和政時代のドイツの雰囲気を感じると言っています。

一方で、哲学は、異文化対話を通して、なぜ現代において宗教が存続しているのか、知的挑戦として、真剣に取り上げるべきとも強調しています。

――彼らは、何をやるつもりなのですか？

佐藤　それは、〝対話〟です。対話による封じ込めを考えているのです。

――対話といっても、一体どうやるんですか？　戦争をしないで、話し合いで封じ込めると言っても、相手はアルカイダですよ!?

佐藤　異文化対話を通じて、イスラム穏健派を味方につけて、アルカイダのような過激派を封じ込める。

その前提として、神様を信じていない西欧の無神論者たちも同じ文化圏の人間である、という考えに立たないといけません。また corpus christianum（コルプス・クリスティアヌム）の中では、神はいなくなるかもしれないけれど、その価値観は皆一緒である。だから、この皆が共有する価値観を持って外交し、イスラムを封じ込めていく。

――corpus christianum ってなんですか？

佐藤　ラテン語で、「キリスト教徒の身体」「キリスト教共同体」という意味です。少し詳しく説明しますね。

アメリカは、かつて「人種の坩堝（るつぼ）」と言われましたが、今は、「民族のサラダボール」と言われています。確かにサラダボールの中にはいろいろな野菜が入ってはいますが、これはニンジン、これはキャベツ、これはコーン、と全部分けることができます。同じように、アメリカも黒人、白人、ヒスパニックなどなど、いろいろな人種が住んでいますが、混ざっているわけではないですね。だから「民族のサラダボール」です。

それに対してヨーロッパは、大きな三つの文化が混合して、全部、野菜が溶けてしまって、ピューレ状になっている状態です。

その三つのものとは、

①ユダヤ・キリスト教の一神教の伝統（ヘブライズム）

②ギリシャ古典哲学の伝統（ヘレニズム）

③ローマ法の伝統（ラティニズム）

これらを全部合わせて、ラテン語でcorpus christianumというのです。

これが、ヨーロッパを形成している根幹の価値観なのです。

——なるほど。ただ、その価値観でイスラム過激派を封じるなんて、可能なんでしょうか？　相手は、自分の身体に爆弾巻きつけて、自爆テロをして、それが正義の刑罰、と考えている人物たちですよ？

佐藤　だからこそ、イスラム過激派を封じ込めるためには、まずイスラム教の穏健な人間たちを味方につけ、価値観を浸透させていくことが必要なのです。先ほどの〝内部から封じ込める〟というところにつながります。

――穏健派を味方につけ、過激派を内部から説得させようという流れですか。

佐藤　少し違います。最終的には、アルカイダなどの過激派の絶滅を考えています。

そのために対話し、イスラムの中に味方を多数作っていきます。そして、味方についたイスラム教徒の穏健派の人間たちが、「テロ行為をする過激派がいると、俺たちのイスラム教が、世界から『変』だと思われてしまうぞ。そうならないためにも、過激派には退場願おう、撲滅しよう」と。そういったシナリオを描いているのです。

――同じイスラムの中で、イスラム教徒同士で始末させるつもりなんですね。その狡猾(こうかつ)さにちょっと背筋が寒くなりました。

バチカンは、二百年から三百年のスパンで戦略を練る

佐藤　バチカンとイスラム教の関係を見てきましたが、同じような観点でバチカ

ンと中国の関係を読み解くと、バチカンの対中国戦略は今後、両者の間に緊張をもたらすことが予見できます。

いまの教皇フランシスコの下で、バチカンは中国に対して、対話を通じて、ソフトな巻き返し戦略を図っていくと、私は見ています。

――まさに、対イスラム教と同じじゃないですか？

佐藤　おそらく、イスラム教が弱体化するのは時間の問題、とバチカン側は見ているはずです。

――だから、次は中国？　あれ、でもそもそも、なぜ対中国戦略をとるのですか？

佐藤　中国政府はいまだに、国内カトリック教会の高位聖職者の人事権が、バチカンにあることを認めていない。

だから、バチカンと中国の間には、外交関係が存在していないのです。

――中国国内のカトリック教会の高位聖職者は、中国が認めた人物。でも、バチカンはバチカンで、高位聖職者を決める人事権は自分たち側にあるのだと主張している……なんだか、先に教皇が複数いた時のことを聞きましたが、その中世の

ような感じです。

中国共産党は、徹底的に抵抗しますよね？　なんといっても中華の自分たちが中心という意味で、それを国名にしているのですから……。

佐藤　抵抗はするでしょうが、バチカンによる対中包囲網で、やはり内側から崩されていくと思います。バチカンは、二百年から三百年のスパンで世界戦略を練りますから。

今回の内容をより深く学ぶための本

『ふしぎなキリスト教』橋爪大三郎・大澤真幸著　講談社（講談社現代新書）

『同志社大学神学部』佐藤優著　光文社（光文社新書）

『キリスト教史』藤代泰三著　講談社（講談社学術文庫）

『ポスト世俗化時代の哲学と宗教』ユルゲン・ハーバーマス、ヨーゼフ・ラッツィンガー著／フロリアン・シュラー編／三島憲一訳　岩波書店

Point

・ローマ教皇はカトリック教会の唯一無二のトップ。教皇の衰えは、そのまま組織の衰えとイコールになる。

・バチカンの世界戦略①――対話によってイスラム穏健派を味方につけ、イスラム過激派と戦わせる。

・バチカンの世界戦略②――中国に対しても対話によって内側から崩す。

第十四講

救済のシステム

キリスト教では、神はどのようにして人間を救済するのか。神が、〝イエス・キリスト〟という肉の形を取ることで、我々は神とつながることができるのです。

安倍政権は、気合いで動くヤンキー政治

佐藤　前回までは、「日本人とキリスト教」というテーマで、バチカンの二百年、三百年先を見据えた長期戦略を見てきました。

今度は視点を変えて、日本社会の現状から考えていきましょう。

昨今、学問や教養をいくら身につけたところで、実社会で活用できなければ意味がない、といわれます。学術のエリートが必ずしも仕事のエリートではありません。言葉が乱暴になりますが、いわゆる「使えないヤツ」ということですね。

そうした風潮が強まったせいか、現場を大事にしようという「現場主義」の名のもとに、反知性主義が広がっています。確かに、勉強はできるけれど使えないヤツでは困りますが、行き過ぎた反知性主義の台頭には待ったをかけたいと、私

は思うわけです。

――そうは言っても難しい数式が解けたり、難解な哲学書が理解できたりするよりも、多くの人は社会の現場で「使えるヤツ」になりたいのではないでしょうか。

佐藤　確かに、それは誰しもが思うことでしょう。「学校秀才」が多かった民主党政権は、結局現場のことを理解しきれずに崩壊したといえます。そして、今の安倍政権が誕生しました。前の政権と比べると、内閣の個々人の偏差値は低くなっています。偏差値は高くても、ほとんど何もできなかった民主党政権とは違います。

精神科医の斎藤環（たまき）さんが言っているように、「気合と、アゲアゲのノリがあればなんとかなるべ」という「気合いで動くヤンキー政治」なんですね。いまの社会は「ヤンキーの反逆」であって、反知性主義が現場主義という名目で表面化しているのです。

――身近な具体例はありますか？

佐藤　大学生を例にとってみましょうか。学生たちが就職活動の時に一番よく質問されるのはなんですか？

――えっと、学生時代にどんなことをしてきましたか、とかでしょうか？

佐藤　そうですね。そんな質問を学生たちにすることが多いでしょうね。すると学生たちは、「〇〇でバイトして……」とか「××にボランティアに行き……」と、こんな回答ばかりなんです。

しかし、よく考えてみてください。学生の本分は勉強することです。にもかかわらず、実社会への入り口で、面接担当者からその本分についてはあまり聞かれない。まあ、面接担当者の方も勉強について質問するからには、それなりの知識と教養が必要ですからね。一方、学生の側でも、学業については聞かれないのに、真面目に勉強なんてやってられない、と勉強をしなくなる。

そして、そうした学生が就職して、採用側になる。でも勉強していないから、入社面接に来た学生に勉強のことなど質問できないし、学生もまたバイトやボランティアといった「現場」でどれだけ役に立つかをアピールする。そんな悪循環に陥っています。こうしたところにも、反知性主義がはびこっているのです。

――いまビジネス書で『仕事に効く教養としての「世界史」』（出口治明著、祥伝社）、『教養としての経済学――生き抜く力を培うために』（一橋大学経済学部編、有斐閣）など、「教養」がキーワードとなった書籍が売れているのですが、教養のないことへの危機感を抱えたビジネス・パーソンたちが、手を伸ばしているのかもしれないなと、納得の思いがしました。

佐藤　一時期、山川出版社からの『もういちど読む山川世界史』（「世界の歴史」編集委員会編）や『もういちど読む山川日本史』（五味文彦・鳥海靖著）などもビジネス・パーソンによく読まれていましたが、私はもう一歩踏み込んで、『詳説日本史研究』（佐藤信ほか編）や『詳説世界史研究』（木村靖二ほか編）をお薦めしたいですね。

反知性主義者は、いざとなったら「えーいっ、問答無用！」と気合いや主観的願望でもって、客観的情勢を変えようと、力で訴えてきます。そんなことがまかり通らないようにするためにも、学識が必要なのです。

ムスリムは遅刻した時に何と言うか

佐藤　さて、キリスト教の話に戻ります。いきなりの質問ですが、キリスト教の聖地はどこでしょうか。

――エルサレムです。

佐藤　そうですね。では、イスラム教や、ユダヤ教の聖地はどこですか？

――**エルサレムです。いろんな宗教の聖地だから、あの地域は紛争が絶えないんですよね。**

佐藤　皆さんそう思いがちですが、実は違います。あの地域で紛争が起こるようになったのは、イスラエルが建国された第二次世界大戦以降なんです。それ以前に複数の宗教が並存できていたのは、それぞれの宗教を信じる人々が、皆心優しき人々であった……と言いたいわけでもありません。むしろ、それぞれに、自分の信じる神にしか関心がなかった……。他人に無関心であったことが、結果的に平和を維持してきたのです。

ところが、それぞれの宗教が帝国主義の政策と結びつくことで、お互いが非寛容な存在となっていきました。

――そうだったんですね。一神教の異教徒同士が同じ地域にいるから紛争が絶えないのだとばかり思っていました。

佐藤　だからといって一神教は非寛容と、ひとくくりにして考えてはいけません。一神教の中にも、他者に寛容なものもあれば、そうでないのもあるんです。反対に多神教であるにもかかわらず、非寛容なものもあります。オウム真理教は、もともとは仏教ですが、どうでしょうか。

――寛容ではなかったですね。

佐藤　そうですよね。同じように、キリスト教、ユダヤ教、イスラム教の中にも過激な人もいれば、穏健な人もいます。意外に思われるかもしれませんが、一神教は概ね、寛容なのです。

この点に関して、イスラム教は徹底しています。

仮に、講義に遅刻した学生がいたとしましょう。先生は遅刻の理由を問います。すると日本などでは、「電車が遅れました」など、学生は遅刻の理由を言います。

これがイスラム圏だったらどうなるかわかりますか？

——言い訳をしないとか？

佐藤　いいえ、イスラム圏では、学生は「アッラーが私を遅刻させたのです。だから先生、アッラーを恨まないでください」と言います。しかも学生は遅延した鉄道会社を責めたりしませんし、先生も学生を責めたりしません。

つまり他人を責めないということです。それは、すべては神との関係で成り立っていると考えられているからなんですね。

キリスト教における救済のしくみ

佐藤　一神教は概ね寛容であると言いましたが、近しいものというのは、差異が現れた時、憎悪が大きくなる傾向にあります。

たとえば、宗教ではないですが、革マル派と中核派。もともとは革命的共産主義者同盟という同じ団体です。でも、いがみ合うようになってしまいました。いわば近親憎悪ですね。

キリスト教においても、「ホモウシオス」と「ホモイウシオス」論争というのがありました。

――「ホモウシオス」と「ホモイウシオス」？　たった一字「イ」があるかないかの違いですが……。

佐藤　三二五年に採択されたキリスト教の信条の一つに、「神の子、主イエス・キリスト、すなわち、父の本性より神のひとり子として生まれ、神からの神、光からの光、まことの神からのまことの神、造られずして生まれ、父とホモウシオス（同質）である」とした、ニカイア信条があります。

神とイエスはホモウシオス（同質）であるとして、神とイエスは別だと考える人たちを排除したのです。

すると、「同質」であるという派に対し、「いや、ホモウシオスとは、ギリシャの言葉で、哲学用語でもあるし、そもそも聖書にない言葉ではないか……」と、ホモイウシオス（類同質性）としてはどうか、と反論する人々が出てきました。

対して今度は、「いやいや、『似ている』では、イエスは神と似ている、つまり神ではないということになってしまうではないか」と、またもや反発があり……、神とイエスは「別」という考えを排除したにもかかわらず、「同質」「類同質性」の二つの派に分かれて、激しい論争が続いたのです。

――たった一字で何ともややこしい。

佐藤　これは、キリスト教における救済の問題にも絡んでいます。神は偉大なものので、我々とは質的にまったく異なるけれども、下品で罪深い人間たちのところに降りてきてくれた――。この「降りてくる」、すなわち神が〝肉〟の形を取る、〝incarnation〟（受肉）に、キリスト教の特徴があるのです。つまり、降りてきてくれた肉に触れることで、神とつながることができ、救われるという構造です。降りてきてくれるイエス・キリストが神と同質だからこそ、人々はそれを有り難く感じ、救われるわけですね。

しかし、ホモイウシオス（類同質性）だと、キリストは神と似ているだけで神ではないのですから、有り難さは少ない。

結果、三八一年の第一コンスタンティノポリス公会議において、ホモイウシオス（類同質性）を唱える派は排除されました。排除することで、キリスト教における救済のしくみを守ろうとしたのです。

AKB48は〝神〟であり〝イエス・キリスト〟でもある

佐藤　こうしたことは現代社会に生きる我々の身の回りにもありますよ。たとえば、AKB48です。

――AKB48ですか？？？

佐藤　濱野智史さんの『前田敦子はキリストを超えた』によくまとめられているのですが、いつでもAKB48に会いに行ける劇場や握手会の会場は、〝教会〟なんです。これまでアイドルとは、テレビや映画といった映像や、雑誌等の誌面でしか見ることのできない遠い存在でした。ファンにとってみればアイドルはいわば神です。

これまでのアイドルと違うのは、AKB48が〝神〟でありながら、ファンのもとに降りてきた存在だということです。AKBファンにすれば〝イエス・キリスト〟そのものなわけですね。彼女たちと会って、握手することで神の世界とつながり〝救済〟されるのが、ＡＫＢ48の構造です。

ところが、前田敦子さんのような存在が出てきてしまうと、この救済のしくみが壊れてしまいます。彼女の存在が神格化され、遠い存在になっていくのです。そこで行われたのが「卒業」です。救済のしくみをおびやかすものが排除されたという意味では、先ほどふれたキリスト教と重ねあわせることができますね。

今回の内容をより深く学ぶための本

『詳説日本史研究』佐藤信ほか編　山川出版社
『詳説世界史研究』木村靖二ほか編　山川出版社
『世界が土曜の夜の夢なら――ヤンキーと精神分析』斎藤環著　ＫＡＤＯＫＡＷＡ（角川文庫）
『ヤンキー化する日本』斎藤環著　ＫＡＤＯＫＡＷＡ（角川ｏｎｅテーマ21新書）
『ふしぎなキリスト教』橋爪大三郎・大澤真幸著　講談社（講談社現代新書）
『前田敦子はキリストを超えた――〈宗教〉としてのＡＫＢ48』濱野智史著　筑摩書房（ちくま新書）

Point

・今の日本では、現場を大事にしようという「現場主義」の名のもとに、反知性主義が広がっている。

・キリスト教、イスラム教、ユダヤ教はお互いに「無関心」だった。しかし、それぞれが帝国主義の政策と結びつくことで、お互い非寛容の存在となった。

・キリスト教では、神が〝イエス・キリスト〟という肉の形を取ることで、神とつながることができ、救われると説く。

第十五講

ムスリムの自爆テロはいかにして生まれたのか

アルカイダの自爆テロは、ビン・ラディンのサウジアラビアへの怒りから生まれたものでした。ビン・ラディンの死後、アルカイダは組織変革を行いました。

過激派は、スンナ派ハンバリ学派から出ている

佐藤　今回は、イスラム教と中東問題について考えていきましょう。最初に基本的な質問から。イスラム教には、何派と何派がありますか。

——それはさすがにわかります。スンナ派とシーア派です。

佐藤　そう。主流であるスンナ派は九割で、シーア派は一割の少数派です。では「両者の違いは何ですか？」と聞くと、正確に答えられる人はほとんどいません。

——たしかに……。

佐藤　最後の預言者ムハンマドの没後、イスラム教徒は最高指導者として「カリフ」を選挙で選出します。「カリフ」とは「神の使徒の代理人」という意味です。

その四代目のカリフとなったアリーは、ムハンマドの従兄弟であり、しかもム

ハンマドの娘の婿になった人物でした。四人のカリフの中で、血統的にもっともムハンマドに近い。それを根拠に、アリーとその子孫が真の後継者だと主張する党派が現れます。これがシーア派です。

それに対して、スンナ派は、代々のカリフを正統と認めます。「スンナ」とはムハンマドの伝えた慣行に従う者という意味ですね。

――なるほど。後継者問題から分裂したんですね。大きな組織にはよくありがちですが。

佐藤　このスンナ派は、イスラム法の解釈によって次の四つの学派に分かれるんです。

①ハナフィー学派……イラク西部、トルコ、シリア、中央アジア、エジプト西部、南アジアなど。

②マーリキー学派……アラビア半島東部、北アフリカなど。

③シャーフィイー学派……イエメン、イラク中部、エジプト東部、東アフリカ、東南アジアなど。

④ハンバリ学派……カタール、アラブ首長国連邦、サウジアラビアなど。

このうち、①~③は世俗の思想や伝統と折り合いをつける傾向が強いので、そんなに危険ではありません。

——ということは④のハンバリ学派が危ない?

佐藤　そうです。イスラム過激派やテロ運動を起こすほとんどの集団は、ハンバリ学派から出ています。この学派は、祖先崇拝や聖者崇拝を一切しない。コーランとハディース(ムハンマド伝承集)しか認めず、この二つをベースとしてできたシャリーア・イスラム法によって、世界はたった一つのカリフ国家で統治されないといけないと考える。

——カリフはどうやって決めるんですか。

佐藤　合議制です。一番優秀な人をカリフとしてつないでいくという考え方ですね。

さて、オサマ・ビン・ラディンが二〇一一年に殺されましたが、アメリカは遺体をその日のうちに水葬しました。なぜか。アメリカ側は、ビン・ラディンの墓を造ると、そこがテロリストの聖地になるからだと説明しました。でも、それはあり得ないんです。

――そうか、聖者崇拝はしないから。

佐藤　そのとおり。ハンバリ学派では墓参りも認めません。アメリカのインテリジェンス能力やイスラム教に関する理解のレベルというのは、この程度なんですね。いろんな事象の研究はしているけれども、本質的な部分において、それぞれの宗派の内在的な論理がよくわかっていない。

「石打ちの刑」を避けるために

佐藤　このハンバリ学派、正確に言うとハンバリ学派の一つであるワッハーブ派を国教としている国がサウジアラビアです。ワッハーブ派は、十八世紀の中頃の宗教改革者ワッハーブが始めたものです。ワッハーブは、サウード家という部族の王様と協力してワッハーブ王国をつくり、これがのちのサウジアラビア王国の素地となりました。サウジアラビアは、「サウード家のアラビア」の意味です。

――ということは、サウジアラビアはイスラム教にたいへん厳格な国なんですか。

佐藤　ところが実際のサウジアラビアには、おかしなところがいっぱいあるんです。たとえば、サウジアラビアの王族はウイスキーを飲んで酔っぱらっている。

――えっ！　イスラム教ってアルコール禁止でしょう？

佐藤　ええ、コーランでは禁止されています。でも彼らに言わせると、コーランで禁止されているのは、ブドウからできたアルコール飲料で、ウイスキーはブドウを原料としてないから問題ないのだと。

――ワインはダメだけど、ウイスキーならＯＫ……。かなり苦しい言い訳に聞こえますけど。

佐藤　このぐらいで驚いてはいけません。イスラム教では、売買春は死刑にあたる重罪です。しかも死刑方法が残酷で、石打ちの刑です。岩のような石だと一発で死んじゃうし、小さい石だと死なない。だから卵より大きいけど、拳よりはちょっと小さいぐらいの石を山盛りにして、それをみんなで投げて殺すわけ。そうすると鼻が折れ、歯が折れて目玉が潰れて、もうそれはそれは苦しい死に方をする。

――想像しただけでゾッとしますね。

佐藤　でもね、ロンドンのエスコートクラブなんかに行くと、アラビア語表記がある。客はサウジアラビアの人が多いってことです。つまりサウジアラビア人はロンドンで買春している。

――石打ちの刑じゃないですか！

佐藤　そうはならないんです。なぜかと言うと、ロンドンにあるのは実は「結婚あっせん所」だから。イスラム教の場合は、結婚する時に必ず離婚の条件について取り決めて契約しないといけません。だから、たとえば、名門の女性をもらって離婚したくない時は、離婚の条件として金塊一トンとラクダ四〇〇〇頭とかにしておけばいい。

この契約を逆手にとったのが「結婚あっせん所」です。ロンドンにある「結婚あっせん所」は、聖職者が経営しています。それで写真を見せて「はい、この娘は結婚時間二時間、慰謝料は五万円」という説明がある。これを「時間結婚」と言うんです。イスラム教では四人まで結婚できますから、金持ちが三人と結婚して、四人目はあけておいて、時間結婚をするわけです。ですから、六〇〇回結婚したとか、七〇〇回結婚したという人もいる。

――イスラム法の網の目をくぐって遊んでいるんですね。それがイスラムで最も厳しい学派を国教としている国の実態ですか。

佐藤　ほとんど国の体（てい）をなしていませんからね。税金もなければ、きちんとした国会もない。サウジアラビア国民には、国がオイルマネーから全部生活費を出してくれる。汚い仕事、つらい仕事は、すべてイエメン人やパキスタン人にやらせて、サウジアラビア人は公務員として遊び放題です。

この実態に憤ったのがオサマ・ビン・ラディンですよ。ビン・ラディンは富豪一族の出身ですが、一九七八年から七九年にかけて勃発したアフガニスタン紛争では、自ら武器を取ってイスラム戦士としてソ連と戦っていた。

その後、第一次湾岸戦争が起きましたね。サダム・フセインのイラク軍がクウエートに侵攻したことがきっかけとなって、アメリカ軍を中心とする多国籍軍がイラクと戦って勝利を収めた。

このとき、アメリカ軍は聖地であるメッカとメディナに駐留しました。異教徒の軍隊が聖地に入るなんて許されることではありません。

ところが、ここでもまたサウジアラビアは言い訳めいた説明をするわけです。アメリカは、キリスト教徒あるいはユダヤ教徒の国だから、啓典の民だ。したがって世界最強国家であるサウジアラビアは、アメリカをボディガードとして使っているだけだから、宗教的には合法なんだと。

――解釈次第で何でもアリになってしまう。他人事じゃありませんね。

佐藤　この状況を見て、ビン・ラディンは激怒しました。「欺瞞(ぎまん)だ。今のサウジ王家は腐敗しきっている。酒を飲んだくれ、買春に明け暮れて、しかも聖地に異教徒を連れてきている。いや、異教徒どころじゃない。アメリカ人は無神論者だ。アメリカは物質文明に侵された国であって、あの連中は神なんか信じてない。そういう無神論者と手を握っているようなサウジの今の王室も、無神論者だ。これは生まれてこないほうがよかった連中だ」と。

――ビン・ラディンの義憤もわかる気がしますよ。

佐藤　それでビン・ラディンは、アメリカに対するジハード（聖戦）を呼びかけます。でも支持を集められず、追放されてしまい、かつての戦地アフガニスタンに向かうんです。そしてタリバン政権下のアフガンの地で、アルカイダの活動を展開していった。そうして起きたのが、二〇〇一年のアメリカ同時多発テロ事件です。

その後、アメリカはアルカイダを徹底的に攻撃しました。アメリカは、こういう追跡能力はきわめて高いんです。だから、同時多発テロから半年ぐらいで、九・一一のテロに関与した人間たちのほとんどを殺していった。首領であるビン・ラディンも、二〇一一年にパキスタンでアメリカの特殊部隊が殺害した。

切れ者が編み出した「グローバル・ジハード論」

——アルカイダは壊滅したんですか？

佐藤　いいえ、アルカイダもやられっぱなしにはならなかった。彼らの中にも頭のきれる人間がいたんです。ビン・ラディンの戦略を反省して、世界規模で聖戦を展開する「グローバル・ジハード論」というものを唱えました。

同時多発テロを実行した時のアルカイダは、ビン・ラディンという司令塔がいて、副官としてザワヒリがいて……というふうに、命令系統がはっきりしていた。だから実行犯から辿ると、ビン・ラディンまで追跡されてしまう。
　そこでアルカイダは組織を変革するんです。すなわち、組織は作らず、電話やインターネットでも連絡は取らない。家族、兄弟など、本当に信頼できる二、三人だけで正義の戦いを準備し、自爆テロを決行する。
　テロ活動で最も難しいのは、退路の確保ですが、自爆テロならその必要はありません。また、ネットワーク型のテロは、必要な人に必要なことだけを伝え、全体像は知らせないので、捕まって尋問された場合にも、秘密を保全することができます。

――とにかく足がつかないようにしたわけですか。たしかに考えた人間は頭がいい。

佐藤　こうした形のテロ活動を、中東のみならず世界各地で実行するのが、グローバル・ジハードです。その狙いは、中東であればシーア派や駐留する欧米軍を殲滅（せんめつ）して、スンナ派の帝国を作ること、そして、「イスラムに触らなければ、テロは起きない」というメッセージを世界に浸透させることです。

その結果、多種多様なアルカイダ関連組織が生まれ、それぞれ自立的に活動を展開していくようになります。その中の一つが、ＩＳ（イスラム国）の前身となる「イラクのアルカイダ」だったわけです。

――アルカイダの組織改革が、イスラム過激派のネットワーク型のテロにつながっていったんですね。

佐藤　ただ、中東の混乱を理解するには、一九一六年にフランス、イギリス、ロシアの間で結ばれたサイクス・ピコ協定までさかのぼらないといけません。

サイクス・ピコ協定とは、前記の三カ国が、第一次世界大戦終結後のオスマン帝国の領土分割や勢力範囲を取り決めたものです。そこで決められた中東分割の線引き、つまり国境線は、宗教事情や部族分布、資源配置などと全く関係のない人為的なものでした。

――ヨーロッパの身勝手な事情で国境線を引かれてしまったんですね。それじゃ、まとまるものもまとまらない。

佐藤　中東は、古代から東西南北のヒト・モノ・カネの自由な流れがダイナミックに交差する地域でしたからね。そこにむりやり国境線が引かれ、人間の往来が制限された。

これでは国家運営がうまくいくはずがありません。脆弱な中東国家は、第二次世界大戦後になると、米ソの冷戦構造に組み込まれることで、なんとか形を保ってきました。しかし、ソ連が崩壊した時点で、秩序を保つ枠組みは壊れ、いつ大混乱が起きてもおかしくない状態になりました。

そして起きたのが「アラブの春」です。次回は、「アラブの春」を理解するうえで重要な二つの概念について説明しましょう。

- イスラム過激派のほとんどは、スンナ派の中のハンバリ学派から出ている。その学派の一つ、ワッハーブ派を国教としているのがサウジアラビア。
- ビン・ラディンは堕落したサウジアラビアと、同国が手を結んでいるアメリカに怒りを覚え、九・一一の同時多発テロを起こした。
- ビン・ラディン亡き後、アルカイダは組織を改革し、ネットワーク型のテロを行うようになった。

第十六講

「アラブの春」とIS

「アラブの春」が起こっても、なぜ民主的な政治体制は生まれなかったのか。ＩＳがシリア、イラクの混乱につけ込むことができたのはなぜか。イスラム情勢を掘り下げます。

「アラブの春」と、その限界

佐藤　「アラブの春」の話から始めましょう。二〇一〇年一二月、チュニジアの横暴な地方役人が貧しい露天商の青年に暴行を加え、彼の商売道具を没収しました。さらにその役人は、道具の返還条件として賄賂を要求した。青年は、焼身自殺をすることで抗議の意を示しました。

――その映像がソーシャルメディアで拡散していって、民衆の抗議運動になっていったんですよね。

佐藤　そう。自殺の現場に駆けつけた従兄弟が、事件直後の現場の様子をスマートフォンで撮影し、フェイスブックに映像を投稿したんです。それをカタールの衛星テレビであるアルジャジーラが報じて、民衆の怒りが爆発した。その結果、チュニジアの独裁者だったベン・アリー大統領は翌年一月に国外へ逃亡しました。この「ジャスミン革命」が「アラブの春」の出発点です。

――さまざまな識者がソーシャルメディアがもたらす運動や連帯の可能性についてコメントしていましたね。いまや、炎上しか見当たらないようになってしまいましたが。

佐藤　中東の抱える本質的な問題を知らないから、浅い分析しかできなかったんです。

チュニジアに始まる民衆運動は、リビア、シリア、イラク、イエメンなどに拡がっていきました。でも、欧米や日本の識者が期待したような民主的な政体が誕生することはなかった。それはなぜなのか。

ここで問題です。「人権」の反対語って何だと思いますか？

――うーん……、独裁とか？

佐藤　答えは「神権」です。

中世のヨーロッパは、神が全権を持っていました。それが近代以降になると、啓蒙思想がヨーロッパ中に拡がり、神権の思想が人権の思想へと転換していきます。神が持っている権利が人間にスライドしていくんですね。
この人権の思想は、いまや世界中に拡散しています。近代ヨーロッパの勢力が拡大する際に、人権の思想も一緒に埋め込んでいったからです。だから、世界の多くの国々で、程度の差はあるけれど、人権の思想は浸透しています。それが制度と結びつくと、人民の代表を選挙によって選出する代議制民主主義になるわけです。

――日本も戦後になって、人権思想が本格的に教えられるようになりました。

佐藤　ところがアラブ世界だけは、神権から人権への転換が起きなかった。だから、現在でも神権です。神権では、神が決めたことがすべて。人間が自分たちで自分たちを統治するという発想は根付かないんです。
「アラブの春」の後のエジプトを見ると、そのことがよくわかります。エジプトでは独裁的なムバラク政権が倒され、民主的な選挙が実施されました。でも、この選挙を通じて権力を握ったのは、ムスリム同胞団というイスラム主義者です。つまり、欧米に留学経験のあるインテリが、アラブ世界で民主的な選挙を導入しても、民衆は神権を支持するムスリム同胞団に投票してしまう。その結果、民主的な選挙を通じて、民主主義を否定する政権が成立してしまったわけです。

――人権にもとづく制度だけを導入しても、根っこが神権だからうまくいかなかったわけですか。

佐藤　シリアでは、民主的な選挙すら行われませんでした。なぜかというと、当時のシリアにはムスリム同胞団が存在しなかったからです。

――ムスリム同胞団って、どんな組織なんですか？

佐藤　エジプトの教師ハサン・アル・バンナーが一九二八年に創始したエジプト出自のスンナ派組織です。皆が平等なイスラム国家を建設しよう、と提唱し、中東諸国にさまざまなムスリム同胞団系の組織が設立されました。その一部は過激化していきます。

エジプトのムスリム同胞団はサダト大統領を暗殺し、弾圧された。それ以降は地域の医療活動や慈善活動の団体として、かろうじて生き延びてきた。それが「アラブの春」を機に、政治的復権を図ろうと表舞台に出てきたわけです。

アサド大統領が所属する「アラウィ派」とは？

佐藤　でも、シリアにはムスリム同胞団は存在していなかった。なぜかというと、バッシャール・アル・アサド現大統領の父親であるハーフィズ・アル・アサド前大統領がみな殺しにしたからです。

――シリアはいまもまだ大混乱のさなかです。

佐藤　現アサド大統領は、とんでもない人です。自国民に対して平気で毒ガスを使う。でもそれは、自国民だという意識がないからです。

彼はもともとはイギリスで教育を受けた眼科医でした。お兄さんが権力を引き継ぐ予定でしたが、交通事故で死んでしまった。それで突然、イギリスから呼び戻されて後継者になったんです。

――イギリスでリベラルな教育を受けているはずなのに……。

佐藤　国家システムの中に入ったら、数年のリベラル教育なんて関係なくなってしまうんです。北朝鮮の金正恩（キムジョンウン）と同じです。

シリアについては、歴史や宗教を知らないと現在の混乱は読み解けません。

一九八二年、首都ダマスカスの北に位置するスンナ派の拠点、古都ハマー市で、ムスリム同胞団が武装蜂起しました。その数はおよそ二万人といわれています。アサドの父親は、この二万人を虐殺しました。

――なぜ武装蜂起したんですか？

佐藤　シリアでは少数派であるアラウィ派のアサド政権が、多数派のスンナ派住民を抑圧してきたからです。

――アラウィ派？　スンナ派やシーア派とはまた別なんですか？

佐藤　全然違います。日本の新聞には、アラウィ派はシーア派の一派と書かれていますが、アサド大統領が所属している「アラウィ派」というグループは、キリスト教や仏教、ヒンドゥー教と、さまざまな要素が混じっている特殊な土着宗教です。それがシーア派とされるのは、一九七〇年代半ばに、レバノンのシーア派指導者を脅して、むりやりシーア派として認めさせたからです。

アラウィ派には、悪いことをしたら次はトカゲに生まれ変わるというような輪廻転生説もある。一神教では輪廻転生はあり得ません。それからクリスマスのお祝いもします。

――アサド親子は確実にトカゲになりますね。

佐藤　アラウィ派の人はアラウィ派の人としか結婚しません。でも、シリアでは国民の七割はスンナ派で、アラウィ派は一三%程度なんですよ。

もともとアラウィ派は、千年以上にわたって差別されてきました。人がやりたがらない仕事ばかりやらされ、社会の最底辺に置かれていました。

――虐げられてきたアラウィ派が、どうしてシリアを支配することになったんですか。

佐藤　フランスの委任統治時代の影響です。

一九一八年に第一次世界大戦が終わります。トルコはドイツに入ったので負け組です。一九一九年のベルサイユ講和条約後、広大なオスマン帝国の領土は分離されます。その境界線を決めたのが前回説明したサイクス・ピコ協定ですね。

シリアはフランスの委任統治領となりました。そして、フランスはシリアの支配にあたってアラウィ派を重用し、現地の行政、警察、秘密警察をアラウィ派にやらせたんです。

――なぜアラウィ派を重用したんですか。

佐藤　植民地の支配では、少数派を優遇するのは常套手段です。多数派の民族や宗教集団を優遇すると、独立運動につながってしまうから。

――大逆転が起きたわけですか。

佐藤　そう。だからシリアは非常に特殊なんです。そこに「アラブの春」が押し寄せた。でも、シリアにはムスリム同胞団がいなかったため、反体制運動が起きても、まったく運動がまとまらなかった。それでシリアはアサド政権と反政府勢力とのあいだの泥沼の内戦状態になってしまったのです。

――反政府勢力では、運動をまとめられなかった？

佐藤　反体制派の自由シリア軍は、はっきり言ってシリアの〝半グレ集団〟です。

――そうなんですか！

佐藤　ただの暴力集団ですよ。彼らはスンナ派なので、スンナ派国家のサウジアラビアやカタールが支援し、豊富な資金と軍事物資を持つようになりました。自由の戦士とは名ばかりで、虐殺や強姦、略奪など、ひどいことをする。

――民衆にとっては救いのない抗争が繰り広げられたわけですね。

佐藤　しかもそこに、シリアの実質支配下にあるレバノンからシーア派過激組織「ヒズボラ（神の党）」が、アサド政権支援のために参戦するようになった。そこで政府側が一気に盛り返すと、今度はシーア派に対抗するためにアルカイダ系の人々が入って大混乱になる。

シリア・イラクの混乱につけ込んだIS

佐藤　このシリアの混乱につけ込んだのが、当時の「ISIS（イラク・シリアのイスラム国）」、現在のISです。

――ISにとっては、シリアの混乱は絶好のチャンスになったと。

佐藤　同じように、混乱に乗じてつけ込まれたのがイラクでした。

アメリカは、イラク戦争でスンナ派のサダム・フセインを倒した後、それまで抑圧されてきたシーア派のアラブ人を中心にした政権をイラクに作ります。それがマリキ政権です。さらに、フセインに弾圧されていたスンナ派のクルド人たちにも自治を認めます。他方、アメリカは旧サダム・フセイン政権を支えていたスンナ派アラブ人に対して、排除政策を行った。

——フランスがシリアにやったこととほとんど同じじゃないですか！

佐藤　かつては政権側にいたスンナ派はおもしろいはずがありません。当然、マリキ政権に対して敵対的な行動を取るようになります。その結果、宗派対立が深刻化し、イラク国内が不安定になっていきます。

統治が不安定になると、権力が及ばない隙間がイラク国内に生まれますよね。そして先述したように、シリア内戦でも、シリア国内のあちこちに隙間ができました。

「イラクのアルカイダ」およびその発展形であるＩＳは、この隙間を狙って、イラクのスンナ派を味方につけ勢力を拡大していったのです。

——不安定な情勢の中に生まれた隙間を利用して、ＩＳは拡大していったんですね。

佐藤　その通りです。トランプ政権になってから、ＩＳに関して変化がありました。インテリジェンスの世界に「中立化」という業界用語があります。

――「中立化」とはどういう意味ですか。

佐藤　敵対する人物の敵対行動が止むことを意味します。具体的には殺害です。殺害という言葉が持つ暴力的な響きを嫌うために「中立化」と言い換えられます。

トランプ大統領は、二〇一九年十月二十七日にISのアブバクル・バグダディ最高指導者の中立化に成功しました。

〈トランプ米大統領は27日、ホワイトハウスで演説し、米軍特殊部隊がシリア北西部で作戦を実施した結果、過激派組織「イスラム国」（IS）の最高指導者アブバクル・バグダディ容疑者が死亡したと発表した。住居に踏み込んだ特殊部隊から逃げようとしたバグダディ容疑者がトンネルに逃げ込み、自爆用ベストを爆発させたという。

トランプ氏は、「米軍特殊部隊が危険で大胆な夜間の急襲作戦を実行し、任務を完遂した。世界はずっと安全になった」と成果を強調した。現場でDNA型検査を行い、バグダディ容疑者だと確認したという。また、作戦の時間は約2時間で、米軍部隊の犠牲者はなく、多数のIS戦闘員らが死亡したという〉（二〇一九年十月二十七日付「朝日新聞デジタル」）

トランプ氏はかなり興奮していたようだ。口汚い言葉でバグダディを罵りました。

〈会見では「（バグダディ容疑者は）犬のように死んだ。世界は今、はるかに安全な場所になった」と語った〉（二〇一九年十月二十八日付「ロイター」）

バグダディは一九七一年、イラクで生まれました。イスラム教スンナ派系過激派「アルカイダ」系のテロ組織などで活動後、二〇一〇年頃に「イラクのイスラム国」の最高指導者になりました。二〇一一年五月二日にアメリカのオバマ大統領（当時）の指示によってパキスタンでアルカイダの最高指導者ビン・ラディンが中立化された際、バグダディは報復を宣言し、反米テロ活動を強めたのです。二〇一三年四月にアルカイダ系の「ヌスラ戦線」と合同し、組織名を「イラクとレバントのイスラム国」（ＩＳＩＬ）と改称しました。さらに、同年六月にシリアとイラクにまたがる「イスラム国」（ＩＳ）の成立を宣言し、イスラム世界の最高指導者であるカリフを自称するようになりました。

——バグダディもビン・ラディンと同じ系統に属するのですね。

佐藤　そうです。アメリカのジャーナリズムは、トランプ大統領によるバグダディの中立化を歓迎しました。「ウォールストリート・ジャーナル」は、二〇一九年十月二十八日付の社説でこんなことを書きました。

〈トランプ氏が「危険で大胆な」作戦と呼んだこの攻撃で、米兵の死者は出なかった。失敗し犠牲者を出すリスクを必然的に伴うこの急襲作戦を承認したことは、トランプ氏の功績だ。バグダディ容疑者の死は、残虐な行為に彩られた彼の経歴から判断して、まさに正義を行ったという点で重要だ。そして今回の出来事は、他のジハーディスト（イスラム聖戦主義者）らに対し、彼らが勝利を得ることはなく、バグダディ容疑者と同様にトンネル内で、あるいは爆弾の爆発によって死ぬ運命だと伝えることになった。

今回の攻撃は、収監者から得られた情報の重要性を示した。イラク当局者らによれば、拘束したＩＳ戦闘員らに対するここ数カ月間の尋問によって、バグダディ容疑者の潜伏場所の情報が得られたという。イラク戦争後、米国の左派勢力は、尋問の有用性に疑問を生じさせようと努めてきた。しかしこうした尋問は、今後のテロ攻撃を防ぎ、テロリストのリーダーを殺害するために、依然として必要不可欠だ〉

この記事で言う尋問とは、インテリジェンスの世界で「物理力を行使する尋問」と呼ばれるものです。

――「物理力を行使する尋問」とは具体的にどういうものなのですか。

佐藤　水責め、中腰で長時間座らせる、袋を被せ、大音量の音を出す環境で睡眠を妨害する、椅子に縛り付けて上半身を激しく揺さぶる（首の骨が折れて死ぬことがある）などの手法です。

――拷問じゃないですか。

佐藤　身体に証拠が残りにくいので拷問とは区別されます。テロリストの取り調べに関しては人権基準は適用されないという雰囲気が、今回のバグダディ中立化作戦が成功したことによってアメリカでは一層強まりそうです。

――これでＩＳは根絶されたのでしょうか。

佐藤　そうなっていません。アメリカがバグダディを殺害しても、ＩＳは緩やかなネットワークなので根絶することができません。しばらく経ったら、中央アジアやアフリカ、東南アジアなどでテロ行為を起こすと思います。ＩＳとの戦いは長期化します。

Point

・神権思想に基づくアラブ世界では、「アラブの春」が起こっても、民主主義を否定する政権が成立した。

・シリアのアサド大統領は、特殊な土着宗教である少数派のアラウィ派に所属している。ゆえに、スンナ派住民を抑圧することにためらいがない。

・イラクのマリキ政権は、それまで抑圧されてきたシーア派の政権。ISは、シリアやイラクで起こった混乱に乗じて台頭した。

第十七講

物事の本質をつかむ「類比」の思考

学問においては、神学でしか採用されていない「類比」の考え方を用いることで、実証だけではわからない構造が見えてくることがよくあります。

なぜ日本人は憲法九条を捨てられないのか

佐藤　安倍首相と自民党は、ずっと「憲法改正」を実現したいと考えてきました。でも、集団的自衛権を部分的に認める安保法制が成立しても、そこから憲法改正にはなかなか進めることができません。

――たしかに。**憲法改正の空気は萎（しぼ）んできましたね。**

佐藤　国政選挙では自民党は勝ち続けています。もし安倍首相が指導力を発揮し、憲法改正に踏み込めば、野党の一部国会議員も賛成するでしょう。そうすれば、衆議院と参議院でそれぞれ総議員の三分の二以上の賛成を得て、憲法改正に踏み込むことだってできるはずです。にもかかわらず、憲法改正に政府も与党もどこか及び腰になってしまいます。

それはなぜなのか。この謎を解くヒントを与えてくれるのが、批評家の柄谷行（からたにこう）

人氏が書いた『憲法の無意識』という本です。

——憲法の無意識？　憲法に意識や無意識があるんですか？

佐藤　順番に説明していきましょう。

柄谷氏はおそらく現在生きている思想家の中で、いちばん頭がいい人です。私も対談したことがありますが、思考のキレはますます鋭くなってきています。

彼は、憲法改正運動がどれだけ大きくなっても、日本では九条改正は不可能だという。そのことを説明するために、内村鑑三の話をするのです。

——内村鑑三と憲法九条？　ますます話が見えなくなってきました。

佐藤　内村鑑三は、北海道大学の前身にあたる札幌農学校で勉強していました。札幌農学校といえば、クラーク博士が有名です。

——“Boys be ambitious”「青年よ大志を抱け」と言った人ですね。

佐藤　クラークは、自然科学を教えると同時に、キリスト教の宣教をしていた。だから当時の札幌農学校はキリスト教の拠点にもなっていました。クラークが帰国した後も、寮生たちはみんなキリスト教徒で、内村鑑三にキリスト教徒になれと言うんだけども、内村鑑三は抵抗する。

――すんなりキリスト教徒になったわけじゃなかったんですか。

佐藤　かなり抵抗したんです。自分はもともと武士の出だ。そんな邪教を信じるのは嫌だって。でも、そんなこと言ってたら、学校にいられなくなるぞと脅され、最後は半ば強制的にキリスト教を受容させられることになりました。

――内村鑑三って、キリスト教徒の鑑みたいに思われていますが、最初は嫌々だったとは。

佐藤　ところがその後、どうなっていったか。自発的にキリスト教を受け入れた先輩たちは社会主義者になったり、政府の役人になったりして、キリスト教から離れていく。それに対して、無理やりキリスト教を強要された内村鑑三は、ずっと信仰を持ち続け、教育勅語にある天皇の署名に最敬礼をしない、日露戦争の時に非戦論を唱えるなど、無教会派のキリスト教徒としての生涯をまっとうしたわけです。

――おもしろいですね。無理やりキリスト教徒にさせられた内村鑑三のほうが、逆に信仰を持ち続けることができたわけですか。でも、どうしてそんな逆転現象が起きたのでしょうか。

佐藤　自発的に選択したものは、自分で放棄することができる。だから先輩たちは簡単にキリスト教から離れることもできた。

それに対して内村の場合は、キリスト教という強い抑圧がかかることによって、高い次元で武士道に回帰したからだと柄谷氏は説明しています。その結果、内村の中で武士道的キリスト教が成立したのだと。

キリスト教を強制されることで、内村の中にもともとあった武士道の精神はいったん封じ込められる。でも抑圧されたものは、いずれ別のかたちになってまた戻ってくる。これは精神分析の創始者フロイトの考え方です。

――単にキリスト教を押し付けられたままではなく、もともと自分の中に強くあった武士道が抑圧されたことでバージョンアップして、武士道的キリスト教になったということでしょうか。

佐藤　そう。一種の回帰現象だという点がポイントです。

――だから内村鑑三は、ずっとキリスト教徒でいられたわけですね。

佐藤　柄谷氏は、内村氏と同じことが憲法九条にも起きたと読み解くのです。

――えっ？　どういうことでしょう？

佐藤　憲法九条の理念は占領軍の外圧によって押し付けられたものです。当時、日本の保守も左翼も、こういった憲法を思いつかなかった。共産党の憲法草案ですら、中立、独自軍の武装でした。

押し付けられた憲法九条がなぜ無意識の中に内在化されたのか。それは、憲法九条を受け容れることは同時に、明治以後に抑圧されてきた「徳川の平和」への回帰だったからではないかと分析するのです。

――「徳川の平和」への回帰？

佐藤　たとえば、象徴天皇制や全般的な非軍事化というのは、徳川の体制とよく似ています。明治から敗戦に至るまで、日本はこの「徳川の平和」をつぶしてきてしまった。そこであらためて、憲法九条が押し付けられたことで、抑圧された「徳川の平和」が回帰したと見るのです。

――そうか。内村鑑三の「武士道」に当たるものが、日本では「徳川の平和」なんですね。

佐藤　だから、内村鑑三がキリスト教を捨てなかったように、日本も憲法九条を捨てられない。改憲派が憲法改正を唱えるたびに、いつも尻すぼみになるのは、憲法九条という無意識によって支配されているからです。

——非常におもしろい見方ですね。

「類比」という思考ツールの重要性

佐藤　なぜ、この話をしたかというと、「類比」という思考の力の重要性を提示したいからです。

　内村鑑三と憲法九条のように、一見関係なさそうなことをつなげて考えるのが、類比、すなわちアナロジーの力です。

——比べて、類似性を探し出すわけですね。

佐藤　ところが、このアナロジーは、制度化された学問では通常使われません。どんな分野の学問でも、アナロジーを使った議論というのは、実証性に欠けるということで基本的には認められない。

——そんなものは単なる思いつきだろう、と言われちゃう。

佐藤　唯一の例外は、私が専攻したキリスト教神学なんです。神学では、アナロジーを上手に駆使することができるかどうかが、論文を評価する一つの基準になっています。

――どうして神学は、アナロジーを重視するんですか。

佐藤　それはいい質問です。キリスト教神学者のマクグラスは、神という見えない存在について考える上でアナロジーが非常に役立つからだ、と説明しています。

たとえば「神は我々の父である」という表現は、神と人間の父親を類比的に捉えています。人間は神のすべてを知ることはできませんが、人間の父親への理解を手がかりにして、神について考えることができるようになるわけです。

――類比的な説明や思考は、見えないものを理解するのに役立つんですね。

佐藤　一般の学者と私とどこが違うかというと、哲学の中にアナロジーを採り入れている点です。哲学であっても、類比的な思考は厳密ではないからNGとされます。しかし、私のように神学のサイドから哲学を教わった人間からすると、この類比に触らないがゆえに、哲学は自分の分野を極度に狭くしてるように見える。

――閉じてしまっているわけですね。

佐藤　そういうこと。アナロジーを使うためには、常に外部に対する感覚、自分の手の届かない世界に対する感覚というものが重要になります。

――もともと神学的な思考から出てきたものだからですね。すべてが論理や実証で説明できるわけではないと。

佐藤　社会現象や国際情勢の分析でも、類比的な思考を使うことで、実証だけではわからない構造が見えてくることがよくあります。

たとえば、歴史を振り返って見ると、強国が群雄割拠する帝国主義の勃興には「覇権国家の弱体化」が伴います。かつてイギリスが覇権国家だった時代は、自由貿易の時代でした。しかし、イギリスの力が弱くなると、ドイツやアメリカが台頭し始め、やがて群雄割拠の帝国主義の時代が訪れました。

一方、現在も、二〇〇一年の同時多発テロ事件や二〇〇八年のリーマン・ショックを経て、覇権国家だったアメリカの弱体化が明らかになってきた。すると今度はロシアや中国が、露骨に国益を主張するようになりました。このように類比的に見ることで、現在をかつての帝国主義を反復する「新・帝国主義の時代」と捉えることができるのです。

――佐藤さんの鋭い分析の秘密は、類比の思考にある。これはビジネス・パーソンでも採り入れることができそうですね。

佐藤　類比やアナロジーの思考は、応用範囲が非常に広いんです。歴史の反復を発見することや、小説や寓話の中に、社会の縮図を読み取ることもアナロジーの力です。

もちろん、だからといって実証や論理を軽視してはいけません。どこまでは実証や論理で説明できて、どこからはできないのか。この二つをきちんと峻別して、理屈で説明できる領域は徹底的に理屈でやっていく。

しかし、その外側に関しては、わからないと諦めるのではなく、別の思考ツールを使って挑んでいけばいい。その時に強力な武器になるのが、類比やアナロジーという思考なのです。

今回の内容をより深く学ぶための本

『憲法の無意識』柄谷行人著　岩波書店（岩波新書）

・押しつけられた憲法九条を受け入れることは、「徳川の平和」への回帰を意味している。内村鑑三がキリスト教を捨てなかったように、日本も憲法九条を捨てられない。

・類比は、見えないものを理解するために有効な思考ツールである。

文庫版あとがき

新型コロナウイルス（COVID-19）による危機で、世界は大きく変化しつつある。ここで重要なのは危機の性格を正しくつかむことだ。危機という日本語は曖昧だ。英語でいうリスク（risk）もクライシス（crisis）も、日本語に訳すとどちらも危機になってしまうからだ。

リスクとは、予見可能な不利益な出来事を指す。リスクに対応するのは可能だ。危機管理マニュアルに記されている方策は、リスクとしての危機を前提にしている。

これに対して、クライシスは、ギリシア語で別れ道や峠を意味するクリシースが語源だ。別れ道で選択を間違えると目的地に着かない。峠は、医療で使われる意味で考えるといい。重篤な状態になった患者が峠を越えられないと死んでしまう。したがって、クライシス対策ならば生き残るために何をしてもいいことになる。

コロナ禍がリスクの閾値（いきち）を超えた危機であることは間違いない。しかし、これをクライシスととらえるのは早計だ。数年以内にコロナ禍は終息する、その後も、人類の大多数は生き残る。日本国家も日本人も生き残る。したがって、新型コロナウイルスは、客観的に見ればわれわれの生き死にに関わるクライシスではないのだ。

もっとも、クライシスを客観的視点だけでとらえることはできない。この点に関するドイツの社会哲学者ユルゲン・ハーバーマスの説明が興味深い。

〈危機の概念は、学問的な議論に入る以前に医療での用語法でおなじみである。そのさい、われわれが思い浮かべるのは、病気の進行過程において、生体・有機体の自然治癒力が快復するのに十分あるかどうかが決まる局面である。病気という危機的な経過は、なにか客体的・客観的なものであるように見える。たとえば、感染症は生体への外部からの作用によってひき起こされ、その生体がそうであるべき状態、すなわち健康という正常な状態から逸脱しているかどうかを観察することができ、経験的な数値を用いてそれを測定することができる。そこでは患者の意識はいかなる役割も果たしていないことになる。患者がどのように感じているのか、病気をどのように体験しているのかは、せいぜいのところ、患者自身はほとんど影響をおよぼすことができないことをうかがわせる出来事の徴候にすぎない。そうはいっても、医療の現場で生きるか死ぬかという段におよんで、それがたんに外部から観察される客体的・客観的な経過の問題でしかなく、患者の主体性・主観性はこの経過にまったく巻き込まれていないとしたら、われわれはそのようなものを危機とはいわないだろう。危機を、そこに巻き込まれている人間の内面的な観点から切り離すことはできないのだ。患者が病気の客体性にたいして無力感を覚えるのは、ただ、みずからの力を完全に掌握した主体である可能性を一時的に奪われ、受動的であるように強いられた主体になっているからにほかならない〉（『後期資本主義における正統化の問題』ユルゲン・ハーバーマス著／山田正行・金慧訳　岩波文庫、2018年、11〜12頁）

新型コロナウイルスに引き寄せて言うならば、感染者数や死者数などの客観的指標よりも、それをわれわれが主観的にどのように受け止めるかが重要になる。ハーバーマスの言葉では、「危機を、そこに巻き込まれている人間の内面的な観点から切り離すことはできない」ということになる。この人間の内面をとらえるために必要なのが哲学と宗教の知識だ。

本書は二〇一八年にＰＨＰ研究所から、目に見えないが確実に存在する事柄をビジネス・パーソンや学生がとらえることを目的にして上梓された。イランの核合意、イスラム教過激派の動向など時事的問題については、最新の事情を踏まえて加除修正したが、本書の趣旨に変更はない。むしろグローバリゼーションに歯止めがかかり、国家や民族の機能が強化されるという本書の予測した事態がコロナ禍によって加速した。また、自粛によって、人間の内面に対する関心が深まった。自己の内面を深く理解するためにも、哲学と宗教に関する知識がビジネス・パーソンや学生に一層必要になると思う。

文庫版の作成にあたってはＰＨＰ研究所の葛西由香氏にたいへんにお世話になりました。葛西氏の詳細な調査と適切な助言によって、本書の内容がより深まりました。どうもありがとうございます。

二〇二〇年七月八日、曙橋（東京都新宿区）の仕事場にて、

佐藤　優

この筑波大学での授業をするにあたって、筑波大学 逸村裕教授に
全面的なご協力を頂きました。深く感謝いたします。

小峯隆生

本書は、２０１８年10月にＰＨＰ研究所より刊行された内容を加筆・修正してまとめたものである。

著者紹介

佐藤　優（さとう　まさる）

作家。元外務省主任分析官。

1960年、東京都生まれ。1985年に同志社大学大学院神学研究科修了後、外務省入省。在英日本国大使館、在ロシア連邦日本国大使館に勤務した後、本省国際情報局分析第一課において、主任分析官として対ロシア外交の最前線で活躍。2002年、背任と偽計業務妨害容疑で東京地検特捜部に逮捕され、2005年に執行猶予付き有罪判決を受ける。2009年に最高裁で有罪が確定し、外務省を失職。2013年に執行猶予期間を満了し、刑の言い渡しが効力を失った。2005年に発表した『国家の罠――外務省のラスプーチンと呼ばれて』（新潮社）で第59回毎日出版文化賞特別賞受賞。2006年に『自壊する帝国』（新潮社）で第5回新潮ドキュメント賞、第38回大宅壮一ノンフィクション賞受賞。

『獄中記』（岩波現代文庫）、『新約聖書（Ⅰ）（Ⅱ）』（文春新書）、『十五の夏』（幻冬舎）、『人たらしの流儀』（PHP文庫）など著書多数。

聞き手

小峯隆生（こみね　たかお）

1959年、神戸生まれ。東海大学工学部航空宇宙学科卒業。集英社週刊プレイボーイのフリー編集者として活躍。1985年から1988年、ニッポン放送「オールナイトニッポン」１部、２部のパーソナリティーを担当。

2010年より筑波大学非常勤講師。メディア論やプレゼンテーション技術の講義を行う。2017年から、同志社大学嘱託講師。日本映画監督協会会員、日本推理作家協会会員。

編集協力　斎藤哲也

ＰＨＰ文庫　世界のエリートが学んでいる哲学・宗教の授業

2020年8月18日　第1版第1刷

著者	佐藤　優
発行者	後藤淳一
発行所	株式会社ＰＨＰ研究所

東京本部　〒135-8137 江東区豊洲5-6-52
PHP文庫出版部　☎03-3520-9617(編集)
普及部　☎03-3520-9630(販売)
京都本部　〒601-8411 京都市南区西九条北ノ内町11

PHP INTERFACE　https://www.php.co.jp/

組版	有限会社エヴリ・シンク
印刷所	株式会社光邦
製本所	東京美術紙工協業組合

 ISBN978-4-569-90072-8

PHP文庫

人たらしの流儀

佐藤 優 著

情報収集と分析、交渉のかけひき、人脈を広げるコツまで、外交の最前線で培われた「相手を意のままに動かす」究極の対人術を一挙公開！